RACONTE-MOI

# MARIE-PHILIP POULIN

La collection Raconte-moi *est une idée originale de Louise Gaudreault et de Réjean Tremblay.*

Éditrice-conseil : Louise Gaudreault
Mentor : Réjean Tremblay
Direction littéraire : Jennifer Tremblay
Direction artistique : Roxane Vaillant
Illustrations : Josée Tellier
Photo de référence pour l'illustration de
 couverture : Jeff Vinnick/Hockey Canada
Design graphique : Christine Hébert
Infographie : Johanne Lemay
Révision : Brigitte Lépine
Correction : Odile Dallaserra

DISTRIBUTEUR EXCLUSIF :

**Pour le Canada et les États-Unis :**
MESSAGERIES ADP inc.*
2315, rue de la Province
Longueuil, Québec J4G 1G4
Téléphone : 450-640-1237
Télécopieur : 450-674-6237
Internet : www.messageries-adp.com
* filiale du Groupe Sogides inc.,
 filiale de Québecor Média inc.

Catalogage avant publication de Bibliothèque et
Archives nationales du Québec et Bibliothèque et
Archives Canada

Bernier, Jonathan

 Marie-Philip Poulin

 (Raconte-moi ; 26)
 Pour les jeunes.

 ISBN 978-2-89754-096-8

 1. Poulin, Marie-Philip, 1991-   - Ouvrages
pour la jeunesse. 2. Joueuses de hockey - Québec
(Province) - Biographies - Ouvrages pour la
jeunesse. I. Titre. II. Collection : Raconte-moi ; 26.

GV848.5.P68B47 2018    j796.962092
C2017-942267-7

02-18
Imprimé au Canada

Gouvernement du Québec – Programme de crédit
d'impôt pour l'édition de livres – Gestion SODEC -
www.sodec.gouv.qc.ca

L'Éditeur bénéficie du soutien de la Société de
développement des entreprises culturelles du
Québec pour son programme d'édition.

 **Conseil des Arts**   **Canada Council**
 **du Canada**        **for the Arts**

Nous remercions le Conseil des Arts du Canada
de l'aide accordée à notre programme de publication.

Financé par le gouvernement du Canada
Funded by the Government of Canada          **Canadä**

Nous reconnaissons l'aide financière du gouvernement du Canada par l'entremise du Fonds du
livre du Canada pour nos activités d'édition.

Jonathan Bernier

RACONTE-MOI

# MARIE-PHILIP POULIN

petit homme
Une société de Québecor Média

# PRÉAMBULE

De retour au vestiaire, le cœur battant la chamade, Marie-Philip Poulin tente de reprendre ses esprits. Il y a quelques secondes à peine, ses coéquipières et elle ne croyaient plus que la victoire était encore possible.

Tirant de l'arrière par deux buts avec moins de cinq minutes à écouler à la troisième période, leur rêve de remporter une autre médaille d'or olympique avait failli s'évaporer. Pour la première fois depuis les Jeux olympiques de Nagano, en 1998, l'équipe de hockey féminin du Canada allait devoir se contenter d'une médaille d'argent. Tout comme cela s'était produit au Japon, 16 ans auparavant, les Américaines allaient monter sur la plus haute marche du podium.

« On l'a échappé belle, pense Marie-Philip tout en retirant ses gants et son casque. Dire que le travail qu'on a fait au cours des quatre dernières années a failli ne mener à rien. »

Mais l'athlète de 22 ans a marqué un but qui a créé l'égalité 2 à 2, avec seulement 55 secondes à écouler au troisième engagement.

Pendant que certaines de ses coéquipières crient des mots d'encouragement et que d'autres tentent d'alléger l'atmosphère en chantant et en dansant, Marie-Philip repasse le fil des événements.

« Les dieux du hockey sont vraiment de notre côté, songe-t-elle. Dire que tous nos efforts ont presque été anéantis par la gaffe d'une juge de ligne. »

Si elle en veut à cette officielle, c'est que sa collision avec Catherine Ward, une défenseuse canadienne, a permis à une attaquante rivale d'obtenir une excellente occasion de marquer. Mais la rondelle, qui semblait se diriger tout droit dans le filet laissé vacant par la gardienne de but du Canada, a miraculeusement dévié de sa course avant de frapper le poteau.

En marquant, les États-Unis auraient porté le pointage à 3 à 1. Une telle avance aurait été impossible à surmonter si tard dans la rencontre.

« Mais là, c'est 2 à 2. Le vent a tourné et le momentum est de notre côté », se dit-elle.

D'ailleurs, elle n'est pas la seule à y croire. D'où elle se trouve, elle peut entendre la clameur de la foule et sentir les gradins vibrer en raison de la ferveur des partisans. À l'aréna Bolchoï de Sotchi, l'atmosphère est tout simplement survoltée.

Mis à part les amateurs de hockey venus des États-Unis, tous les spectateurs se sont rangés derrière l'équipe canadienne. Le mauve prédominant de l'enceinte est noyé dans une mer de rouge. Aux quatre coins de l'amphithéâtre, les partisans sont vêtus de chandails rouges arborant la feuille d'érable ou agitent le drapeau canadien.

Le son des cloches et des trompettes qui retentit jusque dans les entrailles de l'édifice serait suffisant pour rendre fébrile le plus aguerri des athlètes.

Pourtant, Marie-Philip, qui attend le signal pour retourner sur la patinoire, ne bronche pas. Elle a retrouvé son calme.

Au fil des ans, elle a développé une technique de relaxation bien à elle. Chaque fois que l'enjeu est grand ou qu'elle ressent de la nervosité, elle prend de grandes respirations, ferme les yeux et fait défiler des images dans sa tête.

Elle revoit des scènes de sa jeunesse à Beauceville, des nombreuses heures passées à jouer au hockey avec son grand frère, Pier-Alexandre, et du parcours qui l'a menée jusqu'au sommet de son sport. Elle y est arrivée grâce au soutien de son père, Robert Poulin, et de sa mère, Danye Nadeau.

# L'ÉTINCELLE PREND FORME

Marie-Philip ne tient plus en place en ce début de soirée du 21 février 2002. Comme dans tous les foyers du Canada, ses parents, son frère et elle sont des téléspectateurs attentifs. Pas question de rater la finale olympique du tournoi de hockey féminin opposant le Canada et les États-Unis, à Salt Lake City.

Il y a déjà quelques années que Marie-Philip joue au hockey avec les garçons. Mais pour la première fois de sa vie, à l'aube de son 11e anniversaire de naissance, elle prend connaissance de l'existence du hockey féminin. C'est une discipline acceptée aux Jeux olympiques depuis seulement quatre ans, la première compétition ayant eu lieu à Nagano, au Japon, en 1998. Quatre ans auparavant, elle était trop jeune pour avoir conscience de l'arrivée de ce sport aux Jeux olympiques.

Bien qu'elles aient toujours dominé la scène internationale, les Canadiennes avaient dû s'avouer vaincues en finale des Jeux de 1998. Un revers de 3 à 1 qui avait permis aux Américaines de remporter la médaille d'or du premier tournoi olympique féminin de l'histoire. Une amère déception dont elles souhaitent se venger ce soir.

— Comment ça, une autre punition ? s'écrie Danye, fulminant contre l'arbitre de la rencontre.

— Ça n'a pas de bon sens ! Ça fait huit de suite, ajoute Pier-Alexandre.

Marie-Philip constate que Stacey Livingston, une officielle américaine, ne se cache pas pour afficher ses couleurs. Le Canada peine à conserver l'avance de 3 à 2 que lui a procurée Jenna Heyford, avec une seule seconde à écouler à la deuxième période. Et M$^{me}$ Livingstone semble bien déterminée à donner un coup de pouce à ses compatriotes.

— Elle ne veut clairement pas que le Canada gagne. D'ailleurs, les Américaines ont marqué leurs deux buts en supériorité numérique, fait remarquer Robert au même instant.

Néanmoins, grâce à de nombreux arrêts de Kim St-Pierre, le Canada parvient à tenir le coup et à maintenir sa mince priorité.

« Voilà les dernières secondes qui s'écoulent ! Et les Canadiennes remportent leur premier titre olympique ! » s'écrie le commentateur du match au moment où les joueuses sautent par-dessus la rampe et s'empilent, les unes sur les autres, dans le demi-cercle de leur gardienne de but.

Le pays est en liesse. Et ce n'est pas différent dans la petite demeure des Nadeau-Poulin. Marie-Philip saute de son fauteuil et applaudit. Elle jubile.

— Woooohoooo ! On a gagné, s'écrie-t-elle en donnant une énergique claque dans la main de son frère.

Mais à mesure que les joueuses de l'équipe canadienne reçoivent leur médaille, la jeune fille remarque quelque chose d'étrange. Alors qu'elles devraient être heureuses, plusieurs d'entre elles semblent tristes.

— Pourquoi pleurent-elles? demande-t-elle alors à sa mère.

— Tu le sauras un jour, lui répond celle-ci en séchant elle-même ses larmes.

— Wow! Ça serait malade si je pouvais y arriver. Tu crois que c'est possible? l'interroge la jeune fille.

— Certainement! Tu sais, Marie-Philip, c'est important d'avoir des rêves. C'est ce qui te fait avancer dans la vie, lui lance sa mère en prenant bien soin de la regarder dans les yeux.

— Et toi, pourquoi tu pleures?

— Si tu savais tous les efforts que ces filles ont mis pour se rendre là. Et tous les sacrifices que leurs parents ont faits…

* * *

La période des tournois bat son plein pour Pier-Alexandre et ses coéquipiers des Élites de Beauce-Amiante. Fidèles à leur habitude, les Nadeau-Poulin ne ratent pas un match. Même Marie-Philip y met sa touche personnelle en se maquillant aux couleurs de l'équipe de son grand frère.

— Hé, Marie ! Regarde là-bas ! C'est Danièle Sauvageau, l'entraîneuse de l'équipe féminine, indique Danye en pointant la dame du doigt.

— Oh ! Qu'est-ce qu'elle fait ici ? Comment ça se fait qu'elle tient un kiosque ? questionne Marie-Philip.

— En plus d'être entraîneuse au hockey, elle travaille pour la police, la Gendarmerie royale du

Canada. Elle est aussi porte-parole d'une campagne antidrogue, l'informe sa mère. J'imagine qu'elle fait le tour des arénas.

— On va la voir, décide Marie-Philip d'un ton convaincu. Puis, s'approchant de l'entraîneuse de son équipe de rêve : Bonjour, madame Sauvageau. Je peux vous prendre une affiche ?

— Bien sûr, ma belle. C'est quoi, ton nom ? demande la dame en l'autographiant.

— Marie-Philip Poulin.

Une fois de retour à la maison, la gamine ne tarde pas à trouver une place de choix pour cette précieuse photo. Elle s'empresse de la coller bien en vue sur la porte de sa chambre.

Ce soir-là, lorsque Danye vient border sa fille et aperçoit l'affiche du coin de l'œil, elle lui chuchote au creux de l'oreille :

— L'or olympique, tu peux y rêver parce que tout est possible dans la vie. Quand tu fermeras la porte de ta chambre, penses-y tout le temps. Rêver, ça t'amène à des places que, parfois, tu ne peux même pas imaginer.

L'étincelle née de l'or olympique, quelques semaines auparavant, est maintenant bien en vie dans le cœur de Marie-Philip. Monter à son tour sur la plus haute marche du podium olympique, voilà ce qu'elle souhaite désormais accomplir dans la vie.

## 2

# POMPIER OU RIEN

À peine un an avant la naissance de Marie-Philip, la ville d'Ottawa avait été le théâtre du tout premier championnat mondial de hockey féminin. Un tournoi au cours duquel l'équipe canadienne s'était présentée vêtue de rose et de blanc et où, pour la seule fois de l'histoire, les mises en échec étaient permises.

Le hockey féminin n'est pas très à la mode lorsque Marie-Philip Poulin voit le jour, le 28 mars 1991, à Québec.

Marie-Philip vient pratiquement au monde avec des patins aux pieds. Elle n'a pas encore tout à fait trois ans lorsque ses parents lui achètent sa première paire. Eux-mêmes sportifs, Robert et Danye se font un devoir d'emmener leurs deux enfants, chaque semaine, à la patinoire de Beauceville, une bourgade d'environ 6 000 habitants.

La tendance veut alors que les garçons jouent au hockey et que les filles s'adonnent au patinage artistique. Les parents de Marie-Philip ne sont pas différents des autres. Ils croient bien faire en inscrivant Marie-Philip au Club de patinage artistique de Beauceville.

La petite Marie-Philip ne tarde pas à se faire remarquer car, grâce aux nombreuses heures de patinage de la saison précédente, elle s'améliore très rapidement.

— Elle a quelque chose de spécial, cette petite fille là. Je ne sais pas ce que c'est, mais ce n'est pas normal de savoir patiner comme ça à un si jeune âge, soutient l'une de ses entraîneuses.

Le seul hic, c'est que Marie-Philip préférerait tirer des rondelles vers un filet plutôt que de tourner en rond avec les autres fillettes.

— Je n'aime pas ça, le patinage artistique. Je veux jouer au hockey comme Pier-Alexandre, répète souvent Marie-Philip, du haut de ses quatre ans.

De trois ans son aîné, Pier-Alexandre foule les patinoires de la région vêtu d'un équipement de hockey depuis déjà quelques années. Chaque fois que la gamine souhaite imiter son grand frère, ses parents tentent de lui faire comprendre qu'il a suivi le même parcours qu'elle.

— Pier-Alexandre a fait une saison de patinage artistique, lui aussi, avant qu'on l'inscrive au hockey, lui explique Robert.

— Moi, je ne veux pas. Je veux jouer au hockey, martèle Marie-Philip, refusant de lâcher prise.

— Ce qui est bien avec le patinage artistique, c'est que tu pourras réellement apprendre à patiner. Ensuite, quand tu joueras au hockey, tu seras déjà plus rapide que les autres, soutient son père.

Obligée de se contenter de patins blancs à bouts dentelés, Marie-Philip est de fort mauvaise humeur. Au cours de cet hiver, elle le fait sentir à ses parents à plusieurs occasions.

Finalement, devant l'insistance de sa fille, Robert contacte l'un de ses amis. Celui-ci est l'entraîneur responsable du hockey mineur de Beauceville.

— Ma fille veut jouer au hockey. Elle n'arrête pas de nous le demander. Avant de l'inscrire officiellement l'an prochain, j'aimerais savoir si elle aime vraiment ça, explique-t-il.

— Si tu veux, amène-la. On va la faire jouer avec les gars.

On se trouve en plein milieu de la saison et Marie-Philip a un an ou deux de moins que ses adversaires. Néanmoins, elle ne rate pas cette première chance de démontrer que le hockey est sa passion.

Lors d'un match remporté 7 à 2, elle marque cinq buts. Une performance amplement suffisante pour inciter l'entraîneur à l'inviter à joindre les rangs de son équipe à quelques occasions.

Mais avant de s'adonner exclusivement à son sport favori, elle doit terminer sa saison de patinage artistique. Ce qui ne l'enchante pas tellement.

Les préparatifs vont bon train pour le spectacle de fin d'année. Tous les jeunes garçons et les jeunes filles du club ont bien appris leur chorégraphie. Ils connaissent par cœur les mouvements à exécuter.

— Bravo, les enfants ! Beau travail, félicite l'entraîneuse du groupe. Si vous patinez comme ça lors du spectacle, ce sera un succès assuré !

— Maintenant, j'ai quelque chose à vous montrer. Les garçons, vous allez vous habiller en pompiers. Les filles, vous serez en princesses. Regardez comment vous allez être jolies dans ces belles robes là ! explique-t-elle en dévoilant les costumes fabriqués pour les enfants.

Marie-Philip a beau n'avoir que quatre ans, elle sait ce qu'elle veut. Elle sait surtout qu'elle déteste le rose, les poupées et les princesses. Même si elle se garde de faire tout commentaire devant son entraîneuse, elle ne met pas de temps à exploser une fois dans la voiture.

— Je ne veux pas me déguiser en princesse. Je veux me déguiser en pompier, exige Marie-Philip, une fois seule avec sa mère.

— Tu ne peux pas, Marie. Ce sont les garçons qui se déguisent en pompiers.

— Je veux un costume de pompier, bon, insiste-t-elle.

— Voyons, Marie-Philip ! Sois raisonnable un peu.

— Si je ne suis pas déguisée en pompier comme les garçons, je ne fais pas le spectacle.

— Tu me niaises, là ?

— Non. Je suis sérieuse, soutient Marie-Philip en faisant la moue.

Devant l'entêtement de sa fille, Danye demande une permission spéciale à l'entraîneuse. Permission qui lui est accordée, au grand bonheur de Marie-Philip, qui n'aura pas à se pavaner sur la patinoire avec une robe de princesse « ridicule ».

# 3

# EN MODE SOLUTION

La passion de Marie-Philip pour le hockey ne fait aucun doute. Ses parents n'ont d'autre choix que de se rendre à l'évidence. Mais la facture des activités hivernales doublera s'ils décident d'inscrire leur fille à ce sport.

— Avec mon salaire de concierge à l'hôpital et tes revenus de secrétaire, on risque d'avoir de la difficulté à joindre les deux bouts, s'inquiète Robert qui, pour boucler les fins de mois, agit également comme pompier volontaire.

— Ça va être difficile, mais on va trouver une façon. Elle aime tellement ça. On ne peut pas l'empêcher de jouer au hockey. On n'aura qu'à se serrer la ceinture un peu plus, avance Danye.

Ils conviennent donc que, pour limiter les coûts, Marie-Philip jouera une année sur deux dans la catégorie CC. La deuxième saison, elle pourra évoluer dans la catégorie AA, dont les coûts d'inscription sont plus élevés. Marie-Philip ne peut pas porter l'équipement usagé de Pier-Alexandre, qui a déjà deux têtes de plus que sa sœur !

— Les enfants ! Habillez-vous, on s'en va à l'Entrepôt du hockey !

Pier-Alexandre et Marie-Philip attendaient ce moment avec impatience. Dans ce magasin à grande surface spécialisé en équipement de hockey, ils auront l'occasion d'essayer les tout nouveaux bâtons et les pièces protectrices dernier cri en prévision de la prochaine saison.

Dans la voiture, Marie-Philip est fébrile. L'heure de route qui sépare Beauceville de ce commerce, situé à Québec, lui paraît interminable.

Robert a à peine eu le temps de garer la voiture que Marie-Philip marche déjà d'un pas rapide et décidé vers la porte du magasin.

— Hé, Marie-Philip ! Où vas-tu comme ça ? lui crie son père de l'autre bout du stationnement.

— Ben… dans le magasin ! lui rétorque-t-elle du tac au tac.

— Non, non. Toi, c'est de ce côté que tu vas aller magasiner, lui indique Robert, en désignant du doigt le marché aux puces qui se trouve dans le stationnement de l'Entrepôt du hockey.

Déçue, elle se résigne à faire demi-tour pendant que Pier-Alexandre et Robert s'élancent dans cette véritable caverne aux trésors.

L'équipement que déniche Marie-Philip a beau ne pas être neuf, il lui convient tout de même. De toute façon, elle est bien consciente que ses parents font leur possible et qu'elle doit contribuer aux efforts.

Ce qui ne l'empêche pas, à l'occasion, de tenter de pousser le bouchon.

\*\*\*

— Papa, maman. Vous vous souvenez des patins Bauer 20 dont je vous parle tout le temps? lance-t-elle un jour à ses parents en revenant de l'aréna.

— Ceux que tu veux absolument avoir, mais qui coûtent beaucoup trop cher? répond Danye.

— Oui. Ceux-là. Vous savez quoi? Le fils de l'entraîneur vend les siens. Il va les apporter lors du prochain entraînement. Je pourrais les essayer pour voir.

Il y a si longtemps qu'elle parle de cette paire de patins que Robert et Danye acceptent de les lui acheter. À condition, bien sûr, qu'ils soient à sa taille.

Quelques jours plus tard, Marie-Philip et ses parents se présentent au rendez-vous convenu avec l'entraîneur. Après avoir retiré ses chaussures et ajusté ses bas, Marie-Philip glisse ses pieds dans les patins qu'elle désire si ardemment.

Elle tire sur les lacets, s'assurant que chacun d'eux soit le plus serré possible. Puis, avec l'excédent, elle fait quelques tours à la hauteur de ses chevilles avant de compléter la manœuvre par une double boucle.

— Ils sont corrects. Ça fait, soutient-elle en se levant pour effectuer quelques pas.

Heureuse de sa nouvelle acquisition, Marie-Philip rentre à la maison, le sourire fendu jusqu'aux oreilles. À peine a-t-elle mis le pied sur le pas de la porte qu'elle s'empresse de descendre au sous-sol pour ranger celle-ci dans son sac d'équipement. Car ce qu'elle n'a pas dit à ses parents, c'est que ces patins tant convoités sont de pointure 7. Or, elle chausse habituellement… du 4.

Un secret qu'elle parvient à garder pendant deux ans. Elle est si à l'aise sur la surface de jeu et domine la catégorie pee-wee avec une telle facilité que personne ne se doute que Marie-Philip patine pratiquement avec des raquettes aux pieds. Bien qu'elle joue avec les garçons, elle évolue souvent

sur le premier trio et passe habituellement plusieurs minutes sur la glace lors des supériorités
numériques de son équipe.

Une agilité qui incite un commanditaire à payer à
Marie-Philip une paire de patins flambant neuve.

— Mets ton pied là-dedans, Marie-Philip. On va
mouler ton patin à ta cheville et à ton pied. Tu vas
voir, ça va être le confort total. Comme si tu te
promenais en pantoufles sur la glace, explique le
commis du magasin.

Pendant que celle-ci s'exécute, Danye regarde
les patins qui se trouvent à ses pieds, l'air
perplexe.

— Marie ! Tu es sûre qu'ils te font, ces patins-là ?
Ils ont l'air petits par rapport aux autres, fait-elle
remarquer.

— Ils sont de la bonne taille, assure le préposé,
agenouillé devant Marie-Philip.

Sceptique, Danye s'empare de l'ancienne paire de patins de sa fille et la compare avec la nouvelle.

— Voyons donc! Tu as joué presque deux ans avec ça dans les pieds. C'était bien trop grand! fulmine Danye, comprenant qu'elle s'est fait avoir.

— Oui, mais ils allaient bien quand même, soutient Marie-Philip, avec son sourire espiègle.

# 4

# UN SEUL SUJET POSSIBLE

Chaque week-end, c'est la même rengaine. Si elle ne se trouve pas elle-même sur la glace pour un entraînement ou une partie, Marie-Philip prend place dans les gradins avec ses parents pour y encourager Pier-Alexandre pendant que les autres filles ne cessent de courir aux quatre coins de l'aréna pour se distraire.

— Marie-Philip! Viens-tu jouer avec nous? la sollicitent les gamines, incapables de tenir en place.

— Non. Je préfère regarder le match, répond-elle.

Vêtue de son chandail de hockey et maquillée aux couleurs de l'équipe, elle multiplie les encouragements.

— *Let's go*, Beauce-Amiante ! *Let's go* ! *Let's go*, Beauce-Amiante ! *Let's go* ! chantonne-t-elle immanquablement, à l'unisson avec les autres parents.

Elle s'assure même de tenir le registre des statistiques de son frère. Buts, passes, temps de glace, mises en échec, rien ne lui échappe.

— Quand vous êtes arrivés à deux contre un face au gardien, tu aurais dû tirer au but au lieu de tenter une passe. Tu étais en bien meilleure position que ton coéquipier, explique-t-elle. Et sur cette entrée de territoire, en début de deuxième période, tu aurais dû freiner pour ralentir le jeu et permettre à tes compagnons de trio de venir t'appuyer en deuxième vague, ajoute-t-elle en reproduisant la scène avec ses doigts.

La plupart du temps, Robert et Danye, assis à l'avant, n'ont qu'une vague idée des séquences dont discutent leurs deux enfants.

\*\*\*

Non, Marie-Philip n'a rien en commun avec les jeunes filles de son âge. La vie des beaux acteurs d'Hollywood la laisse indifférente, comme celle des chanteuses populaires. Elle ne s'intéresse qu'à son sport favori, même à l'école.

— Marie-Philip, lui dit son enseignante. À ton tour de venir nous parler d'un personnage marquant de l'histoire du Québec.

Réservée lorsque vient le temps de prendre la parole devant un groupe, Marie-Philip s'avance lentement. Elle tripote ses feuilles, nerveuse. Pourtant, elle n'a aucune raison de l'être. Elle connaît son sujet sur le bout de ses doigts.

— Bonjour, aujourd'hui, je viens vous parler de Maurice Richard. Surnommé le Rocket, il a marqué 544 buts durant sa carrière de 18 saisons avec le Canadien. Il a remporté 8 fois la coupe Stanley et fut le premier joueur de l'histoire à marquer 50 buts en 50 matchs, défile-t-elle d'un trait.

Stupéfaits au départ par la passion et les connaissances de Marie-Philip pour le hockey, ses camarades de classe n'en font plus de cas. Ils savent que, jour après jour, chacun de ses projets scolaires, des arts plastiques aux communications orales, en passant par les productions écrites, traitera de ce seul et unique sujet. Au grand désespoir de sa mère qui, un soir, la voit revenir à la maison avec sa dernière création : une patinoire encerclée par des gradins dont les spectateurs ont été créés avec des bâtons de Popsicle.

— Marie, s'il te plaît, peux-tu trouver d'autres idées? Tous tes projets tournent autour du hockey, lui lance-t-elle.

— Dan! C'est ça que j'aime. Tu le sais! soutient-elle.

Pour Marie-Philip, tous ces travaux scolaires sont l'occasion de cultiver quotidiennement ses ambitions olympiques.

— OK, tout le monde. Au cours des prochaines semaines, vous allez rédiger un livre dans lequel il sera question de vos rêves et de vos ambitions. Ça peut être où vous vous voyez dans dix ans, un endroit que vous aimeriez visiter ou le métier que vous aimeriez pratiquer. Je vous donne quelques jours pour y penser.

Autour de Marie-Philip, ils sont nombreux à se gratter la tête. Après tout, à 12 ans, il n'est pas évident de savoir ce que l'on aimerait faire plus tard. Visiter New York, Paris, Rome? Devenir astronaute, architecte, vétérinaire? Pour Marie-

Philip, aucune hésitation et aucun doute possible. Sur la première page de son livre, elle écrit :

***

— Salut, les filles ! Qu'est-ce que vous avez fait ce week-end ?

Les lundis midi à la cafétéria de l'école, c'est souvent la même routine. En dévorant leur sandwich au jambon et en buvant leur jus de pomme, les filles font le bilan de leur fin de semaine.

— Mes parents m'ont amenée faire du ski au mont Sainte-Anne. De la belle neige poudreuse. C'était tellement *cool*, raconte l'une d'elles.

— Nous, on s'est fait une soirée de filles. On a loué des films d'horreur qu'on a regardés en mangeant du pop-corn, mentionne une autre.

— Et toi, Marie? Tu as fait quoi? Tu as encore passé la fin de semaine à l'aréna, je suppose, demande une troisième.

— Oui, l'équipe de mon frère a gagné 3 à 1. La mienne, 4 à 2, répond Marie-Philip.

Comme c'est fréquemment le cas, Marie-Philip quitte la grande table avant même la fin de la conversation. Les discussions des autres filles de son âge ne l'intéressent guère. Elle préfère aller rejoindre les garçons à l'extérieur. Là où l'action ne manque pas.

« De toute façon, elles ne comprennent rien quand je leur parle de hockey », se dit-elle pour soulager sa conscience.

D'ailleurs, les talents de sportive de la jeune Poulin ne tardent pas à être reconnus à Beauceville. Que ce soit au baseball, au soccer ou au basketball, Marie-Philip transforme en succès tout ce qu'elle touche. Même au badminton, la discipline dans laquelle elle représente son école secondaire, elle rafle tous les titres régionaux en Beauce.

Les compétitions de fin d'année lui permettent, chaque printemps, de démontrer toute l'étendue de son talent. À un certain moment, sa domination est telle que l'entraîneur de la polyvalente Saint-Joseph ne prend aucune chance.

— Dans quelles disciplines as-tu inscrit Marie-Philip? lui demande l'enseignant de la jeune fille.

— Je l'ai inscrite à toutes les épreuves, répond-il.

— Ben là! Elle n'aura jamais le temps de participer à chacune d'elles!

— Bof! Ce n'est pas vraiment grave. Elle se présentera à celles qu'elle veut et à celles qu'elle aura le temps de faire.

À la fin de cette journée, Marie-Philip rentre à la maison avec une panoplie de médailles au cou. Le 100 mètres, le 200 mètres, le relais 4 X 100 mètres, le lancer du poids. Elle fut sans pitié pour ses adversaires.

# 5

# LA CARTE CACHÉE
# DE PIER-ALEXANDRE

La grande utilité d'avoir un frère aîné qui rêve de jouer dans la LNH, c'est de pouvoir compter sur lui quand vient le temps de trouver un camarade pour jouer une partie de hockey improvisée. Ce qui est le cas pour Marie-Philip et Pier-Alexandre chaque fois qu'ils bénéficient d'une journée pédagogique.

— Tâche de bien t'occuper de ta sœur. Pas de chicane, pas de niaiserie. S'il y a quelque chose, vous savez où me joindre, ordonne Danye à son garçon avant de partir pour le travail.

Les parents n'ont pas tôt fait de passer la porte que Pier-Alexandre s'empare du téléphone.

— Allô, grand-papa! C'est moi. Est-ce que tu peux passer nous prendre pour nous emmener à l'aréna? Il y a du patinage libre et du hockey libre aujourd'hui, demande-t-il à son grand-père.

— À quelle heure? s'informe ce dernier.

— Il faudrait qu'on soit là pour 10 heures si on veut arriver les premiers et avoir le temps de s'échauffer un peu avant que les autres arrivent.

— Parfait. Je vais être chez vous à 9 h 45.

— OK. Merci, grand-papa.

À l'heure convenue, une voiture s'immobilise devant la maison.

— Grand-papa est là! Dépêche-toi, P.A.! crie Marie-Philip à son frère.

En un rien de temps, tuque, bottes et mitaines sont enfilées et le lourd sac d'équipement, ramené sur l'épaule.

Une fois sur place, Marie-Philip et Pier-Alexandre mettent leur équipement en vitesse et sautent sur la surface de jeu. En attendant que les autres enfants du coin se pointent, ils s'échangent la rondelle, effectuent des tirs au but et travaillent, individuellement, leurs habiletés.

— Ah non, P.A.! Pas vrai! Tu as amené ta p'tite sœur, maugrée l'un des premiers garçons à mettre le pied dans le petit aréna.

— Ben quoi? Elle veut jouer, elle aussi.

Les signes de mécontentement se font sentir au sein du groupe réuni pour disputer une partie amicale.

— Voyons! Une fille qui va venir jouer avec nous! C'est certain qu'elle ne sera pas capable de suivre. En plus, elle a quel âge?

— Attendez, les gars. Vous allez voir. Même si elle a seulement huit ans, elle est capable de suivre.

— Pas dans mon équipe, en tout cas.

Pier-Alexandre n'a qu'une parole. Il a promis à sa mère de s'occuper de sa jeune sœur. Pas question de la laisser tomber.

— Regardez ce qu'on va faire. Je n'ai pas le choix, il faut que je la garde. Je vais la traîner avec moi. Elle va me suivre. Elle jouera dans la même équipe que moi.

Toujours sceptiques, malgré l'assurance de Pier-Alexandre, les garçons du quartier acceptent de jouer avec la jeune sœur de leur ami.

Le doute des autres garçons fait bien l'affaire de Pier-Alexandre. Connaissant le talent de sa cadette, il sait qu'elle est sa carte cachée.

Dès le début de la partie, les garçons ont tôt fait de constater le talent de Marie-Philip et la fluidité de son coup de patin. Plus jeune de quelques années, elle est loin de dominer, mais comme l'avait promis son frère, elle est en mesure de suivre la cadence. Elle accumule même les buts avec plus de facilité que la moitié des joueurs présents.

— Hein! Qu'est-ce que je vous avais dit, les gars? Je savais qu'elle serait capable de suivre, s'écrie Pier-Alexandre en lançant un clin d'œil complice à Marie-Philip.

Rapidement, Marie-Philip acquiert le respect des garçons du quartier. Si elle est toujours la dernière choisie lors de ses premières présences, son rang de sélection s'améliore d'une fois à l'autre. Tant et si bien qu'au cours du deuxième hiver, elle fait souvent partie des premiers à se voir appelés.

\*\*\*

Si Pier-Alexandre est au fait des capacités de sa sœur, c'est que leur passion est commune. Ils ne comptent pas les heures qu'ils passent à jouer au hockey ensemble. Que ce soit sur la patinoire du coin, dans la ruelle derrière la maison de leur grand-mère ou même dans le sous-sol où les deux s'affrontent dans des parties de mini-hockey.

Aucun prétexte n'est bon pour interrompre ces rencontres, sauf lorsqu'il est temps de souper ou de faire les devoirs. D'ailleurs, Robert et Danye tiennent mordicus à ce que l'école soit une priorité.

Dès qu'ils rentrent de l'école, Marie-Philip et Pier-Alexandre ont comme obligation de s'asseoir au bout de la table et de faire leurs devoirs. Pendant que Robert supervise, Danye prépare le souper.

L'horaire de la famille est rodé au quart de tour puisque les entraînements se multiplient à mesure que les années avancent. La table est à peine desservie quand Danye saute dans une voiture avec l'un de ses deux enfants, pendant que Robert fait de même avec l'autre, car ils ne vont pas au même aréna !

Bien sûr, comme n'importe quelle fratrie, les querelles et les mauvais tours sont nombreux, mais l'amour du hockey a tôt fait de les réconcilier. D'ailleurs, Pier-Alexandre s'assure de montrer tous les trucs qu'il connaît à sa jeune sœur. Même les mises en échec.

Comme lors de cet après-midi de décembre 2005. Recrue pour les Fog Devils de St. John's, de la LHJMQ, Pier-Alexandre est tout juste rentré à la maison pour le congé de Noël lorsque sa jeune sœur l'invite à la rejoindre au sous-sol pour une traditionnelle partie de hockey.

— L'an prochain, je vais monter dans le bantam. Il y aura des contacts. Alors, je veux que tu me fasses des mises en échec.

— Voyons, Marie-Philip. On ne peut pas faire ça, tente de la raisonner son grand frère, du haut de ses 6 pieds 4 pouces.

— Allez, je te dis ! insiste-t-elle, frondeuse.

Devant pareille détermination, Pier-Alexandre s'exécute. Les coups d'épaule pleuvent et l'adolescente de 14 ans en redemande... jusqu'à ce que l'un des coudes de Pier-Alexandre l'atteigne accidentellement à la bouche.

— Maman ! crie-t-elle en remontant les escaliers à la course.

Danye ne peut que constater les dégâts. Marie-Philip a la bouche ensanglantée et l'une de ses incisives ne tient plus que par un fil.

— Voulez-vous bien me dire ce qui s'est passé ? demande Danye.

— Marie-Philip voulait que je lui montre à donner des mises en échec, répond Pier-Alexandre, penaud.

— Brillant comme idée... fulmine-t-elle.

— C'est un accident, Dan, répond le garçon, tentant de calmer le jeu.

— Je veux bien croire que c'est un accident. Mais as-tu vu comment elle est arrangée? À deux jours de Noël! Je ne suis même pas sûre que le dentiste soit ouvert aujourd'hui! Ça va être beau, ça.

Bien qu'on soit le 23 décembre, le dentiste accepte de recevoir Marie-Philip. Il tente tant bien que mal de réparer la dent, mais rien n'y fait. L'incisive tombera quelques mois plus tard. Une solution temporaire permet à Marie-Philip de sourire avec toutes ses dents sur les photos de Noël 2005.

# 6

# UN TALENT QUI DÉRANGE

Si Marie-Philip a su se faire respecter sur les patinoires du voisinage, il en est autrement dans le hockey organisé. Elle a beau appartenir à l'élite et être l'une des meilleures de son équipe saison après saison, le fait qu'elle joue avec les garçons en agace plusieurs.

Si ce n'était que les commentaires déplacés des adversaires, ça irait. Après tout, ça fait partie du jeu. Ce qui est le plus difficile à accepter pour la jeune Marie-Philip, ce sont plutôt les commentaires venant des gradins ou ceux qu'elle entend parfois dans les corridors des arénas.

— OK, la gang. Il nous reste une heure avant la partie. Dépêchez-vous de prendre votre sac et de vous diriger vers le vestiaire, commande l'entraîneur des Élites de Beauce-Amiante. Je veux tout le monde prêt pour le petit *meeting* d'avant-match 15 minutes avant l'échauffement.

Marie-Philip et ses coéquipiers s'agglutinent autour de l'autocar en attendant que le chauffeur et le préposé à l'équipement aient sorti tous les sacs de la soute à bagages. Déjà, elle sent des regards curieux se poser sur elle.

Agrippant tour à tour leur sac, les joueurs des Élites pénètrent à l'intérieur de l'aréna. Chemise, cravate, pantalon propre et blouson de l'équipe. En raison de leur habillement identique, tous se fondent dans le décor. Tous, sauf Marie-Philip, dont les 5 pieds 4 pouces, la tignasse blonde et les yeux bleus perçants soulèvent des interrogations et suscitent des réactions.

— Hein! Il y a une fille avec eux! C'est certain qu'elle prend la place d'un gars, chuchote-t-on au passage de l'équipe.

Comme elle le fait chaque fois qu'elle entend ce type de commentaire désobligeant, Marie-Philip tente de bloquer son effet. Mais c'est parfois plus facile à dire qu'à faire.

«Est-ce que je suis assez bonne pour jouer dans cette équipe-là? Est-ce que je prends vraiment la place d'un garçon? Et si c'était vrai que je ne suis pas à ma place? Peut-être devrais-je choisir un autre sport», se surprend-elle à penser, en appliquant du nouveau ruban gommé sur son bâton.

Mais Marie-Philip n'est pas le genre de personne à abandonner. Puisqu'elle ne vit que pour le hockey, elle refuse que quelques personnes étroites d'esprit la privent de cette passion.

Ses patins bien lacés, ses épaulettes ajustées et son chandail enfilé, Marie-Philip rejoint ses coéquipiers dans le vestiaire adjacent, à temps pour entendre les consignes de l'entraîneur.

— OK, tout le monde. Aujourd'hui, je veux qu'on exerce un échec-avant agressif. En zone adverse, je veux deux joueurs sur le porteur. Le premier le met en échec et le second s'empare de la rondelle.

Je veux toujours quelqu'un devant le filet. Et les défenseurs, pas de risque inutile à la ligne bleue, défile l'entraîneur en se servant du tableau pour bien illustrer son plan de match. Compris? lance-t-il.

— Oui, *coach*! répondent en chœur tous les membres de l'équipe.

— Une autre chose, prend-il soin d'ajouter, alors que ses ouailles trépignent d'impatience. Même si je sais que je vous le répète souvent. Marie-Philip, c'est comme votre petite sœur. Personne ne la touche. Compris?

— Oui, *coach*! répondent-ils une nouvelle fois.

L'intention est noble, mais garder les yeux sur sa coéquipière en tout temps n'est pas toujours évident. Surtout au niveau bantam, où Marie-Philip doit user d'adresse pour éviter les coups d'épaule de ses adversaires qui, bien souvent, sont des géants à côté d'elle.

D'ailleurs, elle parvient à s'esquiver à quelques reprises au cours de ses premières présences sur la patinoire. Déjà, elle a remarqué qu'un fier à bras semble avoir fait la promesse d'étamper « la fille ». Maintenant, elle les reconnaît facilement. Il y en a un dans chaque équipe.

D'une tape sur l'épaule, son entraîneur la désigne pour retourner au jeu. Quelques enjambées plus tard, elle aperçoit la rondelle libre dans le coin de la patinoire. S'amorce alors une course contre un défenseur adverse. Elle accélère la cadence de ses coups de patin, constatant qu'elle arrivera assurément la première.

À peine a-t-elle touché le disque que la grosse épaule de son rival vient lourdement l'écraser contre la baie vitrée. La force de l'impact projette Marie-Philip par terre. Bien qu'elle soit quelque peu sonnée, pas question de rester étendue sur la glace.

« Allez ! Tu dois te relever immédiatement. Si tu restes là ou que tu montres que tu as mal, ça

veut dire qu'ils auront réussi leur mission »,
s'encourage-t-elle en se relevant péniblement
avant de poursuivre la séquence.

***

Marie-Philip parvient à tenir son bout avec les
garçons jusqu'à l'âge de 16 ans. À l'automne 2007,
après avoir terminé au premier rang des pointeurs
de son équipe, l'année précédente dans la catégorie midget espoir au sein de la formation de
Beauce-Amiante, Marie-Philip tente sa chance au

camp d'entraînement des Commandeurs de Lévis, une équipe de la Ligue de hockey midget AAA du Québec. La même qui avait accueilli son grand frère quelques saisons auparavant.

Puisqu'il s'agit de la dernière étape avant d'atteindre la Ligue de hockey junior majeur du Québec, la fraternité des saisons passées n'existe plus. Comme dans la jungle, il n'y a pas de pitié. Tout le monde veut faire sa place. Même ses anciens coéquipiers, qui avaient assuré sa protection au fil des ans, ne semblent plus la connaître.

Par ailleurs, en se taillant une place avec les Commandeurs, Marie-Philip pourrait devenir la première fille à obtenir un poste régulier dans ce circuit. Ce qui ne manque pas d'attirer l'attention et les caméras du Réseau des Sports, qui dépêche journaliste et caméraman à l'aréna de Lévis lors d'un match préparatoire.

Cette présence de la station de télévision ne fait qu'empirer la situation. Tout au long du match, les adversaires des Commandeurs s'assurent de faire

comprendre à Marie-Philip et au Québec tout en-
tier qu'une fille n'a pas sa place sur la même patinoire que les garçons. Pendant les 60 minutes
réglementaires de la rencontre, Marie-Philip est
malmenée, bousculée et rouée de coups d'épaule.
Tant et si bien qu'au terme du match, Robert,
Danye et Marie-Philip, considérant que la situation devient de plus en plus dangereuse, conviennent qu'il est temps pour l'adolescente de lâcher
prise.

Marie-Philip ne jouera plus jamais avec les garçons, ce qui ne l'empêche pas de toujours rêver
aux Jeux olympiques.

# 7

# DE GRANDS
# BOULEVERSEMENTS

Marie-Philip a de bonnes raisons de garder le moral, même si elle ne joue plus avec les garçons. Sa capacité à tenir son bout face à des adversaires masculins coriaces a déjà commencé à attirer l'attention des recruteurs du hockey féminin.

Durant quelques étés, elle porte l'uniforme des IceStorms de Montréal, une formation étoile féminine. Comme c'est souvent le cas, Marie-Philip est la cadette du groupe.

Au départ, Robert et Danye hésitent à laisser leur fille vivre cette expérience. Ils sont épuisés autant physiquement que monétairement par tout le branle-bas de combat hivernal. L'intervention d'une connaissance les fait changer d'avis.

Gérant de l'Entrepôt du hockey, Pierre Rougeau connaît bien la famille Nadeau-Poulin, des clients de longue date. De plus, M. Rougeau est le père de Lauriane, une autre surdouée du hockey féminin (les deux filles seront coéquipières à plusieurs reprises, entre autres avec les Canadiennes de Montréal et Équipe Canada). Il tente d'intervenir auprès des parents de Marie-Philip.

— Robert, tu devrais emmener ta fille jouer pour les IceStorms. Ça serait bon pour son développement, en plus, la *coach,* c'est Amey Doyle, l'ancienne gardienne de but des Martlets de l'Université McGill.

— Je ne sais pas trop. On a couru tout l'hiver. On est un peu essoufflés. En plus, ça nous coûte déjà 3 000 $ par saison de hockey.

— Marie, on la veut dans l'équipe. On ne vous demande même pas de payer. On vous demande seulement de nous la laisser. On va s'en occuper.

Faisant confiance autant aux Rougeau qu'à la discipline et au sérieux de leur fille, les Poulin-Nadeau acceptent finalement de la laisser tenter l'aventure. Une décision qui ouvrira rapidement d'autres portes à la Beauceronne.

*\*\**

À la fin de sa seconde saison estivale avec les IceStorms, Marie-Philip reçoit une proposition fort intéressante d'Amey Doyle.

— Dis donc, Marie, ça ne te tenterait pas de faire ton secondaire V dans une école anglophone? Ça pourrait te préparer pour la suite. Tu sais, dans le hockey universitaire et dans l'équipe nationale, tout se passe en anglais.

En plus d'être l'entraîneuse des IceStorms, Doyle est professeure d'éducation physique au collège Champlain et a des contacts à la Kuper Academy, un établissement scolaire anglophone situé à Kirkland, dans l'ouest de l'île de Montréal.

Évidemment, Marie-Philip ne met pas de temps à se laisser convaincre. Amey et Marie-Philip en parlent à quelques occasions avant que Danye n'ait une discussion sur le sujet avec sa fille.

— C'est vrai que ça a l'air intéressant. Mais le secondaire V en anglais, ce n'est pas rien. C'est important, le secondaire V, il faut que tu le passes ! lui rappelle-t-elle.

— Dan ! Ça ne me fait pas peur. Je suis prête.

— C'est bien beau, mais combien penses-tu que ça va coûter ? Aller à l'école privée, ce n'est pas donné. Demande à Amey si tu auras ton brevet[1] de Hockey Canada.

La réponse d'Amey est affirmative. Au grand plaisir de Marie-Philip.

— OK. Ça ne paie pas l'école au complet, mais au moins, avec le brevet, on pourra payer la diffé-

---

1. Cela signifie que l'athlète obtient une bourse pour pratiquer son sport.

rence, calcule Danye, pendant que Marie-Philip trépigne comme une enfant. Si tu es vraiment prête, je ne t'empêcherai pas de vivre ton rêve, ça c'est certain. Mais ça doit venir de toi. Je ne veux pas être celle qui te « pitchera » à Montréal.

— T'inquiète pas. C'est ma décision et je suis prête. Je veux y aller !

Robert et Danye acceptent de la laisser partir à Montréal pour plusieurs mois. Encore une fois, elle résidera chez les Rougeau, ce qui rend la séparation moins difficile.

À peine a-t-elle mis les pieds en ville qu'elle reçoit l'appel des Stars de Montréal. Cette formation est l'une des sept équipes à établir les cadres de la toute nouvelle Ligue canadienne de hockey féminin.

À 16 ans, Marie-Philip quitte donc son coin de pays natal pour aller vivre dans la métropole. Il s'agit d'un dépaysement total pour la Beauceronne. En plus d'apprendre l'anglais de façon accélérée, elle doit affronter des joueuses âgées jusqu'à une dizaine d'années de plus qu'elle.

Puisqu'elle est toujours sur les bancs d'école, les entraînements prévus à 22 h rendent les études difficiles.

Tous ces inconvénients ne l'empêchent pas de survoler le circuit féminin. En seulement 16 rencontres, elle inscrit 22 buts et ajoute 21 passes, pour un total de 43 points. Des statistiques qui la placent au sommet des pointeuses des Stars et au quatrième rang de la ligue. Sans surprise, elle récolte à la fin de la campagne le titre de recrue de l'année. Elle termine même au second rang du scrutin pour le titre de joueuse par excellence. Elle trouve également une niche au sein de l'équipe d'étoiles de la division Est, de même que sur celle des recrues.

Championnes de la saison régulière, les Stars s'inclinent cependant en demi-finale, lors des séries éliminatoires.

Parallèlement à cette saison de rêve, Marie-Philip domine le tout premier Championnat mondial de hockey féminin des moins de 18 ans, qui se déroule en janvier 2008 à Calgary. Malheureusement, ses 14 points, dont 8 buts et 6 passes en 5 matchs, ne sont pas suffisants pour permettre au Canada de remporter la médaille d'or.

Dans un revers de 5 à 2 en finale, Marie-Philip découvre la grande rivalité qui anime le Canada et les États-Unis sur la scène du hockey féminin. Pour l'instant, c'est la déception, mais ce qu'elle ne sait pas encore, c'est qu'elle sera au cœur de quelques-uns des épisodes les plus importants de cette guerre sur patins.

# 8

# D'IDOLES À COÉQUIPIÈRES

La saison suivante n'est pas différente. Marie-Philip domine tous les aspects du jeu. Désormais habituée de jouer contre des rivales beaucoup plus âgées qu'elle, elle ne fait qu'une bouchée des filles de son âge. En 19 rencontres avec les Blues de Dawson de la Ligue collégiale AA du Québec, elle enregistre 38 buts et 34 passes, pour un total de 72 points.

Sa facilité à accumuler des points la rend quelque peu mal à l'aise. Elle termine au premier rang des pointeuses du circuit, avec 15 points de priorité sur sa plus proche poursuivante. Pourtant, elle a joué huit matchs de moins qu'elle. Une domination telle qu'elle est élue à la fois athlète par excellence et recrue de l'année. On trouve également son nom dans la première équipe d'étoiles.

Affiliée aux Stars de Montréal, elle dispute six rencontres dans la Ligue canadienne de hockey féminin. En plus des huit points qu'elle récolte en saison régulière, elle aide les Stars à remporter la toute première coupe Clarkson de l'histoire, aux dépens des Whitecaps de Burlington, en obtenant une mention d'assistance dans un gain de 3 à 1.

Pour une deuxième année consécutive, elle est invitée à représenter le Canada au Championnat mondial de hockey féminin des moins de 18 ans. Une fois de plus, Marie-Philip et ses coéquipières vivent la déception de s'incliner en grande finale contre les États-Unis.

Mince consolation, le talent et les habiletés de Marie-Philip ne passent pas inaperçus. Trois mois plus tard, l'équipe olympique canadienne, qui amorce sa préparation en vue des Jeux olympiques de Vancouver, l'invite à participer au Championnat mondial de hockey féminin. Celui-là même qui regroupe les meilleures joueuses au monde. Cette année-là, la compétition se tient à Hämeenlinna, une ville située dans le sud de la Finlande. Marie-Philip, qui n'a pas encore célébré son 18e anniversaire de naissance, vit un véritable conte de fées.

— Les filles, voici vos chambres, lance l'entraîneuse, Melody Davidson, au moment où l'équipe
canadienne met le pied à l'hôtel qui les hébergera
durant toute la durée du tournoi. Hayley, tu seras
avec Marie-Philip.

La Québécoise n'en croit pas ses oreilles.
L'entraîneuse a choisi de la jumeler avec Hayley
Wickenheiser, la légende du hockey féminin. Alors
âgée de 30 ans, Wickenheiser n'a plus besoin de
présentation. La feuille de route de la capitaine
est incroyable. Véritable pionnière du hockey
féminin, l'athlète originaire de la Saskatchewan
défend les couleurs du Canada sur la scène internationale depuis 1994.

Elle fut de presque tous les championnats mon-
diaux et a participé à tous les Jeux olympiques.
Elle a même joué, pendant deux saisons, dans
une ligue masculine. Elle portait alors les couleurs du HC Salamat, de la Ligue Mestis, la seconde ligue en importance en Finlande.

Marie-Philip est bouche bée. Tellement, que c'est à peine si elle lui adresse la parole durant la dizaine de jours de leur cohabitation.

— *Hi, M.P! How are you this morning?* s'informe Wickenheiser, à l'occasion.

— *Good and you?* se contente de répondre Marie-Philip qui, en plus d'être intimidée, ne se sent pas encore tout à fait à l'aise en anglais.

Ce qui n'empêche pas la Beauceronne de s'exprimer sur la patinoire. Malgré un temps de jeu restreint, elle parvient à se faire remarquer suffisamment pour poursuivre l'aventure.

D'ailleurs, Wickenheiser reconnaît rapidement le talent de sa jeune et timide coéquipière :

— Ce qu'il y a de bien avec elle, c'est qu'elle s'amuse constamment. On dirait qu'elle arrive directement de la patinoire extérieure.

À compter du mois d'août, ses coéquipières de l'équipe canadienne et elle élisent domicile à Calgary, où elles peaufinent leurs préparatifs en vue des Jeux olympiques. Et puisque le championnat mondial s'est terminé par un autre revers aux mains des Américaines, le niveau de motivation est à son comble.

— J'espère que tu participeras dans la maison. Tu es bien mieux d'aider. Tu n'as jamais été la petite fille qui attend tout et il ne faudrait pas que ça commence aujourd'hui.

La consigne de Danye est claire. Ce n'est pas parce que sa fille s'en va vivre avec trois coéquipières plus vieilles qu'elle, qu'elle doit se faire servir. Pour ce séjour dans la métropole albertaine, Marie-Philip partage un logement avec Caroline Ouellette, Kim St-Pierre et Charline Labonté.

Les deux premières faisaient partie de l'équipe championne de 2002, celle-là même qui avait semé en Marie-Philip le rêve de participer aux Jeux olympiques. Quant à la troisième, elle a rejoint le groupe à temps pour se couvrir d'or, elle aussi, aux Jeux olympiques de Turin.

D'ailleurs, c'est à la demande des trois filles que M^me Davidson a accepté que la plus jeune de ses joueuses partage une maison au lieu de vivre en pension.

— Dan ! M^me Davidson veut que j'aille habiter dans une famille d'accueil. Ça ne me tente pas du tout. Tu sais, me faire servir par quelqu'un, ce n'est pas tellement mon genre, se plaint Marie-Philip à sa mère.

— Tu vas habiter où, alors ? demande celle-ci.

— Charline, Kim et Caroline louent une grande maison. Elles m'ont dit que je pourrais habiter avec elles. Penses-tu que tu pourrais appeler M^me Davidson pour lui demander ?

— Je vais voir ce que je peux faire, la rassure-t-elle.

Quelques jours plus tard, Danye téléphone à Melody Davidson.

— Vous savez, madame Davidson, il y a déjà quelques années que Marie-Philip ne vit plus à la maison. Depuis qu'elle a 16 ans, elle demeure à Montréal pendant l'hiver. Bon, c'est vrai qu'elle habite chez les Rougeau, mais elle est tout de même habituée d'être loin de la maison et de s'occuper d'elle-même, argumente Danye lors de son entretien avec l'entraîneuse de l'équipe canadienne. Je crois sincèrement qu'elle est rendue là dans sa vie. Se faire servir à manger dans une pension, ce n'est plus pour elle, ajoute-t-elle.

— Je vais voir avec les filles et je vous ferai part de ma décision, lui indique M^{me} Davidson, pas encore tout à fait convaincue qu'il s'agit de la bonne décision.

Bien déterminées à accueillir Marie-Philip chez elles, Caroline, Charline et Kim mettent tout en œuvre pour faire pencher la décision en leur faveur.

— Marie-Philip et ses parents m'ont fait part de votre intention de l'héberger chez vous. Honnêtement, je ne suis pas sûre que ce soit la bonne chose à faire, soutient M^me Davidson devant le trio de Québécoises.

— Ne vous inquiétez pas, *coach*. On va s'occuper d'elle et on va la protéger. On va l'emmener partout avec nous, assurent-elles.

— Je comprends qu'elle est autonome et qu'elle est habituée à vivre ailleurs que chez ses parents. Mais Calgary, ce n'est pas Montréal. C'est beaucoup plus loin de chez elle. C'est la première fois qu'elle se retrouvera dans un milieu entièrement anglophone. J'ai peur qu'elle soit un peu perdue.

— Justement ! En étant avec nous, trois filles qui viennent du même coin de pays qu'elle, la transition sera sûrement moins difficile.

— Ouais. Ce n'est pas une mauvaise idée, réfléchit à voix haute l'entraîneuse. Entendu ! Je vous fais confiance.

Au cours de ces quelques mois passés avec ses trois camarades, Marie-Philip apprend à faire la cuisine, à tenir une maison propre et, surtout, à détester les Américaines. Huit fois dans leur parcours vers les Jeux olympiques, le Canada et les États-Unis croisent le fer dans le cadre de matchs préparatoires. Marie-Philip et ses coéquipières terminent en force en remportant six duels consécutifs.

Toutefois, lorsqu'elle se questionne sur ses capacités à suivre la cadence avec les meilleures joueuses du pays, c'est vers son frère qu'elle se tourne. Il y a déjà quelques années que la carrière junior de Pier-Alexandre est terminée. Un parcours de deux saisons qui ne s'est pas déroulé tel qu'il l'aurait souhaité.

— Salut, ma petite sœur. Comment ça va ?

— Pas si pire, mais je trouve ça difficile. La *coach* ne me fait jouer que sur la quatrième ligne. Je ne joue jamais sur l'attaque massive ni en désavantage numérique.

— Je te comprends. C'est plate. Je suis passé par là. La seule façon de régler le problème, c'est de profiter de chaque occasion. Dès ta première présence sur la glace, tu dois avoir un impact immédiat. Sinon, ils ne vont t'envoyer sur la patinoire qu'une seule fois par période. C'est triste, mais c'est la réalité d'un joueur de quatrième trio. Alors, si tu ne veux pas que ça reste comme ça, c'est à toi de leur prouver que tu vaux plus.

Petit baume sur cette déception, chaque semaine pendant cette année d'intense préparation, Marie-Philip reçoit des appels et des courriels provenant d'universités américaines souhaitant la recruter. Bien qu'enchantée par toute l'attention qu'elle reçoit, elle n'a pas encore la tête à la poursuite de ses études. Pour l'instant, elle n'a qu'un seul objectif : représenter le Canada aux Jeux olympiques.

Puisque son rôle est limité au sein de la formation, sa place est loin d'être assurée. Pourtant, à Beauceville, ses concitoyens sont persuadés que Marie-Philip sera de l'aventure. Pour eux, c'est dans la poche.

Ils en font la démonstration claire et nette le 4 décembre, alors que le parcours de la flamme olympique, qui traverse le pays d'un océan à l'autre, emprunte le boulevard Renault, principale artère de la petite municipalité.

« Pou ! Pou ! Pou ! » scandent plusieurs centaines de Beaucevillois, alors que les coureurs portant l'emblème olympique à bout de bras se relaient le long de la rivière Chaudière, suivis de quelques chars allégoriques.

— Ça se peut vraiment qu'on y aille, se surprend à penser à haute voix Danye Nadeau, devant autant d'enthousiasme.

— Attends, Danye. Ce n'est pas encore fait, lui rappelle Robert, son mari, toujours un peu plus terre à terre, refusant de s'emballer avant que la composition de l'équipe ne soit officiellement dévoilée.

Cette attente touche son point culminant le 21 décembre lorsque l'état-major d'Équipe Canada nomme les 21 joueuses qui représenteront le pays aux Jeux olympiques de Vancouver. Une liste sur laquelle se trouve le numéro 29, Marie-Philip Poulin.

Fier de sa fille et maintenant assuré de sa présence à Vancouver, Robert se présente au travail vêtu du chandail canadien porté par Marie-Philip lors des Championnats du monde.

Comme toujours, l'or olympique est le seul objectif acceptable. D'autant plus que le grand rassemblement du sport international a lieu en terre canadienne.

Pour Marie-Philip, pas question que ses rivales, qui l'ont déjà privée de trois médailles d'or, montent une fois encore sur la plus haute marche du podium.

Mais elle n'est pas sans savoir que les Américaines ont faim. Aux Jeux olympiques de Turin, elles ont trébuché devant la Suède en demi-finale et ont dû se contenter de la médaille de bronze.

La pression risque d'être à son niveau le plus élevé. Consciente de ce qui attend sa fille dans la métropole de la Colombie-Britannique, Danye prépare, pendant plusieurs semaines, un PowerPoint qui, espère-t-elle, pourra aider Marie-Philip lorsqu'elle sentira que cette tension l'étouffe.

Sur la musique de la chanson *The power of the dream*, que Céline Dion avait chantée lors de la cérémonie d'ouverture des Jeux olympiques d'Atlanta, et de *J'imagine*, chanson thème des Jeux olympiques de Vancouver, interprétée par Annie Villeneuve, défilent des pensées positives et des photos d'une jeune Marie-Philip s'amusant et ayant du plaisir.

— Avant la finale, c'est dans cet état d'esprit là qu'il faut que tu te transposes. Comme si tu étais à la patinoire dehors, le 25 décembre, que tu avais du plaisir comme ça s'peut pas, et que tu revenais les joues rouges. C'est comme ça qu'il faut que tu sois dans ta tête. L'état d'esprit, tout part de là, lui dit-elle avant de la laisser partir vers Vancouver.

# 9

# UNE HÉROÏNE SORTIE DE NULLE PART

Le 12 février 2010 est une journée grandiose pour Marie-Philip comme pour tous les athlètes canadiens. Le BC Place de Vancouver est alors le théâtre de la cérémonie d'ouverture des XXI<sup>e</sup> Jeux olympiques d'hiver. Plus de 60 000 personnes sont entassées dans le stade de football pour accueillir les 2 566 athlètes représentant 82 nations.

En tant que pays hôte, le Canada est la dernière délégation à faire son entrée dans le stade. Perceptible depuis le tunnel menant à la surface de jeu, la clameur de la foule rend fébriles les représentants du Canada.

Chaque pas qui la rapproche de l'enceinte fait courir dans le dos de Marie-Philip des frissons difficilement descriptibles.

« Canada ! Canada ! » annoncent les présentateurs.

Après plus d'une heure d'attente, Marie-Philip et la délégation canadienne font leur entrée dans le stade qui, pour l'occasion, a pris des allures de véritable palais de glace. Les spectateurs sont en liesse, des centaines d'entre eux agitent des drapeaux du Canada.

Côte à côte avec Charline Labonté et Caroline Ouellette, Marie-Philip n'a pas les yeux suffisamment grands pour voir tout ce qui se passe.

— Wow ! C'est malade ! On dirait que je suis dans un rêve, crie-t-elle à ses voisines pour que celles-ci puissent l'entendre. Est-ce que tout ça est bien réel ?

Tout ça est effectivement bien réel. Mais avec cette réalité et cette euphorie vient également la pression. Les objectifs sont élevés, et pas seulement pour les deux équipes de hockey canadiennes, de qui on n'attend rien de moins qu'une médaille d'or.

Vancouver est la troisième ville canadienne à accueillir les Jeux olympiques après Montréal, à l'été 1976, et Calgary, à l'hiver 1988. Au moment où s'ouvrent les Jeux de Vancouver, le Canada est le seul pays à ne jamais avoir remporté une médaille d'or olympique sur son territoire.

Non seulement le Canada souhaite-t-il remédier à la situation, mais son ambition est de terminer au sommet du classement des médailles. C'est donc sous la pression de ces espoirs que l'équipe canadienne amorce, dès le lendemain, le tournoi de hockey.

\*\*\*

Comme il fallait s'y attendre, les Canadiennes survolent la phase préliminaire de la compétition avec des gains de 18 à 0 contre la Slovaquie, de 10 à 1 contre la Suisse et de 13 à 1 contre la Suède.

Dans l'autre groupe, les Américaines font subir la même médecine à la Chine, à la Russie et à la Finlande en les renversant tour à tour.

L'étape des demi-finales n'est également qu'une formalité pour les deux nations, le Canada se défaisant facilement de la Finlande, alors que les États-Unis se débarrassent de la Suède.

Le choc tant attendu entre les deux pays aura bel et bien lieu.

Avant de quitter le village olympique en direction de l'aréna, Marie-Philip jette un dernier coup d'œil au PowerPoint que lui a remis sa mère.

Des larmes coulent sur ses joues à mesure que les photos de son enfance défilent. Des images d'elle sur la patinoire extérieure de Beauceville et des heures passées à jouer avec son frère font remonter en elle un paquet de beaux souvenirs. Des souvenirs qui, malgré la nostalgie, l'apaisent et la préparent au plus important match de hockey de sa vie.

Voulant éviter, elle aussi, que Marie-Philip ressente trop de pression, Melody Davidson l'utilise sur le quatrième trio en compagnie de Jennifer Botterill et de Gina Kingsbury. Ce qui ne l'empêche pas, au cours des quatre premières rencontres, de marquer 3 buts et d'obtenir 2 mentions d'assistance. D'ailleurs, Davidson reconnaît son flair offensif puisqu'elle n'hésite pas à l'envoyer au jeu pratiquement chaque fois que le Canada évolue en supériorité numérique.

C'est une mer de partisans vêtus de rouge et de noir qui accueille ses favorites à leur entrée sur la patinoire. Parmi les spectateurs se trouvent bien sûr Robert, Danye et Pier-Alexandre, parvenus à se libérer juste à temps pour assister à la demi-finale, tenue trois jours plus tôt.

En raison de plusieurs beaux arrêts de la mitaine de Shannon Szabados, la gardienne de but canadienne, les quelque 17 750 spectateurs entassés à l'intérieur du Canada Hockey Place sont sur le bout de leur siège.

Soudain, démarquée dans le haut de l'enclave, Marie-Philip crie à Botterill de lui refiler la rondelle. Réceptionnant la passe parfaite, elle décoche immédiatement un tir qui se loge dans la partie supérieure du filet. La foule est en délire et Marie-Philip, tout sourire, retourne au banc où elle reçoit les félicitations de son entraîneuse et de ses coéquipières.

— Wow ! C'est un beau cadeau de fête ! se réjouit Robert, qui célèbre son anniversaire de naissance.

Il n'y a même pas trois autres minutes d'écoulées et la patineuse de 18 ans a à peine eu le temps de se remettre de ses émotions que Davidson la désigne au cercle des mises en jeu situé à la gauche de la gardienne américaine. Marie-Philip remporte cette confrontation. Puis, avant même que son adversaire n'ait eu le temps de réagir, elle fait de nouveau scintiller la lumière rouge.

— C'est encore Marie! s'écrie Pier-Alexandre en bondissant de son siège.

— Non! Non! Ça ne se peut pas, s'exclame Danye, surprise par la rapidité du jeu.

— Mais c'est vrai. C'est Marie! Mon Dieu! Elle en a deux! reprend-elle en apercevant la reprise sur le tableau indicateur.

Même dans ses rêves les plus fous, Marie-Philip n'aurait jamais osé s'imaginer inscrire les deux premiers buts d'un match pour la médaille d'or olympique.

Assise au banc, elle vient également de revoir la séquence de son but. Elle ramène son attention sur la glace, non sans remarquer certaines affiches brandies par les spectateurs.

« *She shoots, she scores* », lit-elle sur l'une d'elles.

« *Hockey is Canada's game* », aperçoit-elle sur une autre.

« OK, Marie. C'est 2 à 0 et c'est toi qui as les deux buts. Mais ne perds pas ta concentration. Il reste encore 40 minutes à jouer », se dit-elle en se retirant au vestiaire au terme de la première période.

Comme c'est souvent le cas lorsque l'avance est mince dans un match d'une telle envergure, les secondes paraissent s'écouler beaucoup plus lentement qu'à l'habitude. Refusant d'abandonner, les Américaines appliquent constamment de la pression. Mais fidèle à elle-même, Szabados parvient à résister.

Dans les gradins, les milliers de partisans retiennent leur souffle. La tension est également palpable dans la loge où se trouve la famille de Marie-Philip.

— Ça serait fou que ça reste comme ça ! lance Danye, en serrant les mains de son mari et de son fils.

— Attends, Danye. Ce n'est pas fini. Il reste encore cinq minutes. Tant que ce n'est pas fini, ce n'est pas fini, répète Pier-Alexandre, malgré tout, incapable de contenir sa mère.

Cette dernière est tellement à bout de nerfs qu'elle parvient presque à tordre la baie vitrée qui se trouve à proximité.

— Dites-moi, connaissez-vous quelqu'un qui joue ? risque un spectateur en s'approchant doucement.

— Oui, et là je suis en train de mourir ! lui répond-elle du tac au tac.

Quand la sirène annonce la fin du match, Marie-Philip n'a déjà plus ses gants ni son bâton au moment de sauter sur la patinoire pour aller célébrer avec ses coéquipières. La mission est accomplie! Non seulement pour le Canada, mais également pour elle. Alors qu'elle reçoit sa médaille d'or, elle se souvient du jour où ce rêve est né. Elle se rappelle les larmes qui avaient coulé sur les joues des joueuses canadiennes et sur celles de sa mère. C'est maintenant à son tour d'être incapable de contenir sa joie.

— C'est l'un des plus beaux matchs de ma vie, déclare, après la rencontre, celle que l'on surnomme déjà la Sidney Crosby du hockey féminin. Je rêve à ce jour depuis plusieurs années, et là, j'ai la médaille accrochée à mon cou. J'ai de la misère à le croire.

La Beauceronne l'ignore encore, mais sa vie ne sera plus jamais la même. Ses parents et son frère ne tardent pas à le constater. Seuls partisans vêtus du chandail numéro 29 de Marie-Philip, ils sont sans cesse abordés à leur sortie de l'aréna.

— Comment se fait-il que vous ayez ce chandail-là? La connaissez-vous, la petite fille qui a marqué les deux buts? interrogent plusieurs amateurs sur le passage de la famille Poulin.

— Bien sûr, c'est ma sœur, répond chaque fois Pier-Alexandre avec une grande fierté.

Parfois, cela est suffisant pour qu'on les arrête afin de se faire prendre en photo avec eux. D'autres fois, c'est même l'équipe de télédiffusion de la CBC, la télévision anglophone de Radio-Canada, qui les intercepte pour des entrevues à la télé nationale.

Pendant ce temps, à Beauceville, 1 500 personnes sont réunies à l'intérieur de l'aréna local pour assister à cette rencontre sur un écran géant. C'est l'euphorie.

Le match est à peine terminé qu'on prépare déjà le retour de Marie-Philip, première médaillée olympique de l'histoire de la Beauce.

Des autobus scolaires remplis de concitoyens vont même l'accueillir à l'aéroport Jean-Lesage de Québec. Beauceville est en liesse.

Au cours de l'été, on organise une fête en son honneur où elle est invitée à défiler dans les rues de la ville en compagnie de Kim St-Pierre, Charline Labonté, Caroline Ouellette et Julie Chiu. On présente également des vidéos de ses exploits.

À peine reconnue quelques mois auparavant lorsqu'elle marchait dans les rues de sa ville natale, Marie-Philip ne peut désormais plus se déplacer sans que quelqu'un vienne à sa rencontre.

# 10

# LE CHOIX DU CŒUR

Marie-Philip était déjà courtisée par plusieurs universités américaines lors de l'année précédant les Jeux de Vancouver. Désormais, les invitations fusent de toutes parts. Plusieurs écoles sont prêtes à lui dérouler le tapis rouge.

Mais avant de pouvoir faire une demande d'admission, elle doit se plier à un test d'aptitudes. Appelé le SAT, cet examen vise à évaluer les connaissances générales des futurs étudiants, leur capacité à résoudre des problèmes mathématiques et leur niveau de lecture.

— Tiens, Marie ! Je suis allée chercher le gros livre pour te permettre d'étudier, lance Danye à sa fille en revenant à la maison, un soir d'été. Ça va t'aider pour ta préparation. Comme ça, tu pourras arriver en confiance à ton examen.

Le degré de difficulté de l'examen est si élevé qu'il faut habituellement deux essais pour obtenir la note de passage. Bien au courant de cette réalité, Marie-Philip a un plan en tête.

— Je vais le faire une première fois. Je vais voir un peu quelles sont les questions. Je retournerai le faire une autre fois par la suite, explique-t-elle à ses parents, qui se demandent bien pourquoi leur fille n'a pas le nez plongé dans cette brique plus souvent.

C'est donc sans trop d'attentes qu'elle se présente à l'examen que l'on dit redoutable, après n'avoir feuilleté son livre que trois ou quatre fois.

Au bout de quelques heures, Marie-Philip rejoint ses parents, impatients.

— J'ai réussi ! J'ai réussi ! J'ai mes notes ! J'ai passé ! s'écrie-t-elle en se lançant dans les bras de ses parents. Bien qu'heureux pour elle, ceux-ci peinent, bien évidemment, à y croire.

Non seulement a-t-elle obtenu la note de passage, mais elle a également atteint le seuil nécessaire pour recevoir des offres d'institutions figurant parmi les plus prestigieuses.

L'Université de Boston est l'une d'entre elles. Intimidée par l'immensité de la ville de l'État du Massachusetts, qu'elle avait visitée quelques années auparavant avec l'équipe de Dawson, Marie-Philip fait une croix sur cette option.

À quelques semaines de faire son choix, elle semble beaucoup plus attirée par l'Université du Wisconsin. Les Badgers du Wisconsin ont un argument de poids dans leur manche. De 2006 à 2009, elles ont remporté trois championnats de la NCAA et perdu en finale dans l'autre. La tradition gagnante est donc bien implantée.

— Dan! Je ne sais pas quoi faire. Je ne sais pas quelle université choisir, souffle-t-elle à sa mère.

— Marie, va en visiter quelques-unes et regarde avec ton cœur. Va où tu te sentiras bien. C'est de là que tout part. Parce que si tu passes quatre ans dans une université ou dans un endroit où tu n'es pas heureuse, tu vas trouver ça long. Même si on t'offre la lune.

Un appel inattendu fait pencher la décision de Marie-Philip :

— C'est Brian Durocher, entraîneur-chef des Terriers de l'Université de Boston. Je sais que tu nous as déjà dit que tu ne souhaitais pas te joindre à notre équipe. J'ai tout de même osé te rappeler, car j'ai une information qui pourrait te faire changer d'idée.

— Ah oui ? Laquelle ?

— Ton amie, Catherine Ward, vient d'accepter de se joindre à nous.

— Pourtant, ça fait trois ans qu'elle est à l'Université McGill.

— Je sais, mais elle a décidé de venir faire un MBA[2] chez nous, à l'Université de Boston. Si tu veux reconsidérer ta décision, je pourrais te faire visiter le campus et la ville.

Grandes amies, Ward et Marie-Philip avaient partagé de bons moments à Vancouver. Ward était la première coéquipière vers qui Marie-Philip s'était tournée après son premier but. Elle était également sur la patinoire lors de son deuxième filet.

— Il y a également Jennifer Wakefield, une attaquante explosive, qui a quitté l'Université du New Hampshire pour s'inscrire à notre programme, ajoute Durocher au nombre de ses arguments.

Toujours hésitante, Marie-Philip accepte de visiter les installations de l'université. Elle rencontre les joueuses et l'équipe d'entraîneurs. C'est le coup de foudre. On lui présente même Raymond

---

2. Maîtrise en administration des affaires.

Bourque, l'ancien défenseur vedette des Bruins. Autant d'attentions qui la convainquent que c'est l'endroit parfait pour elle.

« En plus, j'aurai ma meilleure amie auprès de moi pour la première année », se dit-elle au moment de dresser une liste des pour et des contre.

Les charmes de la ville de Boston confirment rapidement à Marie-Philip qu'elle a fait le bon choix. Il n'est pas rare de la voir déambuler dans le centre-ville de cette métropole, dans le Common Boston, ce grand parc situé en plein cœur de la ville, ou le long de la Charles River, où elle croise de nombreux joggeurs et où elle entend les équipes de kayakistes s'entraîner sur le cours d'eau.

Pour les universités québécoises, la décision de Marie-Philip représente une déception. L'admission de la Beauceronne leur aurait permis d'obtenir une belle visibilité.

— Marie-Philip ! C'est sûr que tu changerais le hockey canadien si tu choisissais de jouer dans notre circuit universitaire. Tu attirerais des filles du Québec. Elles resteraient ici au lieu d'aller aux États-Unis, lui lance, au cours de l'été, Danièle Sauvageau. Celle-là même qui, huit ans plus tôt, avait contribué à nourrir le rêve de la jeune fille.

M^{me} Sauvageau occupe maintenant le poste de directrice générale des Carabins de l'Université de Montréal. Cette formation vient alors de compléter sa première saison au sein du Circuit universitaire canadien. L'équipe québécoise se tire bien d'affaire, mais le Réseau des sports étudiants du Québec, division dans laquelle évoluent, entre autres, les Carabins, les Martlets de McGill et les Stingers de Concordia, est loin d'être aussi développé que la National Collegiate Athletic Association (NCAA), la prestigieuse institution sportive américaine.

Sans compter que les bourses offertes par les universités canadiennes sont beaucoup moins généreuses envers les athlètes féminines. Dans certains cas, elles sont même inexistantes.

# À UN CHEVEU
## DE LA CATASTROPHE

Marie-Philip ne tarde pas à mettre son talent au profit des Terriers. Elle inscrit au moins un point à chacun de ses 7 premiers matchs. Au terme de ces sept rencontres, elle compte déjà 9 buts et 7 passes, pour un total de 16 points. Malgré une fracture à une main, qui lui fait rater un mois, elle termine cette première saison avec un total de 47 points (24 buts et 23 passes) en seulement 28 matchs. Comme ce fut souvent le cas dans sa carrière, elle est élue recrue de l'année de la division Hockey East. Elle est même en nomination pour le titre de joueuse par excellence de la NCAA.

Les prouesses de Marie-Philip permettent aux Terriers d'atteindre la grande finale nationale pour la première fois de leur histoire. Malheureusement, elle est la seule marqueuse de son équipe dans un revers de 4 à 1 subi aux mains des Badgers de l'Université du Wisconsin.

Jamais blessée en pratiquant son sport avant de subir cette fracture à une main, Marie-Philip subit un dur coup dès le second match de sa deuxième saison avec les Terriers. Au cours d'un affrontement contre l'Université North Dakota, elle fait une vilaine chute dans la rampe. Voyant qu'elle peine à se relever, le soigneur accourt auprès d'elle.

— Où as-tu mal?

— À l'épaule. J'ai mal à l'épaule. En fait, j'ai mal à tout le côté gauche, répond-elle, ayant beaucoup de difficulté à bouger et à sortir de la patinoire.

— Tu t'en vas à l'hôpital. Ce n'est pas ton épaule. C'est beaucoup plus inquiétant, lui annonce le médecin de l'équipe.

— Qu'est-ce que j'ai? demande-t-elle au médecin, inquiète.

— Pas le temps de t'expliquer. Tu dois partir immédiatement, lui lance-t-il dans la cohue du moment.

Présents dans l'assistance, Robert et Danye sont inquiets. Leur fille n'a jamais eu l'habitude de demeurer longtemps étendue sur la patinoire. Encore moins de se retirer au vestiaire. Pour qu'elle ait été escortée de la sorte, c'est que quelque chose de grave s'est produit.

— Monsieur et madame Poulin, venez rapidement avec moi, les interpelle un membre de l'organisation des Terriers, venu à leur rencontre dans les gradins.

Ne faisant ni une ni deux, les parents de Marie-Philip s'exécutent au pas de course.

— On a dû envoyer votre fille d'urgence à l'hôpital, leur dit l'homme en question.

— Pourquoi? Qu'est-ce qu'elle a? demande Danye, évidemment inquiète.

— Rendez-vous à l'hôpital. Les médecins vont vous expliquer la situation.

— Oui, mais quel hôpital? Quel hôpital? interroge-t-elle, de plus en plus inquiète. *Which one? Which one?* ajoute-t-elle, impatiente, en pointant son GPS.

— À l'hôpital universitaire, finit-on par lui répondre.

Comme l'ambulance file à toute allure vers le centre hospitalier, Marie-Philip sait que sa situation est grave. Le problème, c'est qu'elle n'a aucune idée de ce qui lui arrive. Le médecin étant américain, c'est en anglais qu'il lui annonce la gravité du problème dont elle souffre. Or, bien qu'elle soit plus à l'aise qu'avant dans la langue de Shakespeare, elle ne comprend pas ce que le mot « spleen » signifie.

— *I broke my spline,* écrit-elle à ses coéquipières, qui s'inquiètent de son état de santé.

— *A spline?* C'est quoi, *a spline?* répond l'une d'elles, perdue dans la mauvaise traduction de Marie-Philip. Ce qui n'est pas pour réconforter la Québécoise. Ni ses parents, d'ailleurs, qui ne tardent pas à la rejoindre.

Ceux-ci se font alors expliquer, grâce à un spécialiste maîtrisant le français, que le « spleen » est en fait la rate. Située tout juste à gauche de l'estomac, la rate est l'organe qui produit les cellules immunitaires servant à combattre les maladies. En raison de sa position, elle est très peu protégée par la cage thoracique. Et puisque la rate est composée de milliers de vaisseaux sanguins, sa rupture peut provoquer une hémorragie interne très abondante et possiblement mortelle. Voilà pourquoi il faut agir très vite à la suite de ce diagnostic.

Rayons X, prises de sang, médication, tout est rapidement mis en œuvre pour stabiliser l'état de santé de Marie-Philip.

— Écoutez. On va la garder en observation pour la nuit. Demain matin, si sa rate a saigné de nouveau, on va devoir l'opérer, la lui retirer complètement, annonce le médecin à la famille.

Au réveil de Marie-Philip, les nouvelles sont bonnes. Les saignements se sont arrêtés. Cependant, le médecin n'est pas encore tout à fait convaincu.

— Marie-Philip est une athlète. Par conséquent, le rôle de sa rate devient encore plus important. C'est la rate qui filtre les anticorps. Sans elle, Marie-Philip risque de manquer souvent d'énergie, explique-t-il. Attendons encore trois ou quatre jours. Si les saignements n'ont toujours pas repris, cela signifiera que la rate aura déjà commencé à se régénérer. Alors, tout se passera bien.

Bien que les examens se révèlent encourageants, quelques jours plus tard, Marie-Philip comprend qu'elle devra s'absenter du jeu pendant une longue période. Puisqu'il ne s'agit pas de la fracture d'un os ou d'une entorse commune, impossible de déterminer la durée de son absence.

Pendant près de trois mois, elle devra se plier à de fréquentes séries d'examens et de radiographies avant d'obtenir le feu vert des médecins.

Le retour au jeu, effectué après Noël, se fait péniblement. Son absence lui a fait prendre du retard. Sa forme et sa rapidité ne sont pas au même niveau que celles de ses coéquipières et de ses adversaires. Son synchronisme est déficient.

Comble de malheur, dès le deuxième match suivant son retour, elle trébuche de la même façon. Cette fois, c'est bel et bien l'épaule qui encaisse le choc. Elle subit une dislocation de l'épaule qui lui fera rater un autre mois d'activité.

En raison de ces deux incidents, elle ne dispute que 16 rencontres au cours de la saison régulière 2011-2012. Tout de même, elle cumule des statistiques plus que respectables avec une récolte de 25 points, dont 11 buts.

N'eût été ces quelques blessures, Marie-Philip détiendrait encore tous les records des Terriers de l'Université de Boston. Cocapitaine de l'équipe pendant les saisons 2012-2013 et 2014-2015, elle conclut sa carrière de quatre saisons dans la NCAA avec 81 buts et 100 mentions d'assistance (181 points) en 111 rencontres.

Tout en complétant une majeure de psychologie, elle est élue joueuse défensive de l'année dans la conférence Hockey East, en plus d'être l'une des trois finalistes pour le trophée Patty Kazmaier, remis annuellement à la joueuse de hockey par excellence de la NCAA. On la nomme également sur la première équipe d'étoiles de la NCAA.

La saison suivante, Sarah Lefort, qui sera également sa coéquipière avec les Canadiennes de Montréal, surpassera ses marques en terminant sa carrière universitaire en ayant fait bouger les cordages 91 fois et en s'étant fait complice de

92 buts. Un total de 183 points qui lui permettra de devancer Marie-Philip par deux maigres points. Cependant, il lui aura fallu 146 rencontres, soit 35 de plus, pour amasser ce nombre de points.

Pendant le séjour de la Beauceronne, les Terriers ont remporté trois fois le championnat de la conférence Hockey East, permettant de qualifier la formation pour le championnat national. Deux fois, Marie-Philip et les Terriers ont atteint la finale de ce tournoi, s'inclinant à chaque occasion.

Avec Marie-Philip dans ses rangs, le programme de hockey féminin de l'Université de Boston a acquis ses lettres de noblesse. D'équipe respectable, elle est devenue l'une des plus puissantes de la NCAA.

L'apport de Marie-Philip au département sportif de cette université est tel qu'il ne serait pas surprenant qu'elle voie, un jour, son numéro 29 flotter dans les hauteurs du Walter Brown Arena, le domicile des Terriers. Elle pourrait même être élue au Temple de la renommée de cette institution.

# 12

# UNE PENTE DIFFICILE À REMONTER

Il n'y a pas que pendant son séjour à l'Université de Boston que Marie-Philip est ralentie par les blessures. Sa préparation olympique est également amputée de quelques semaines en raison d'une malchance. Cette fois, c'est une entorse à une cheville qui la tient à l'écart du jeu de septembre à la première semaine de janvier.

À quelques mois des Jeux olympiques de Sotchi, prévus en février, sa participation à cet événement planétaire semble compromise. D'ailleurs, s'il lui faut tant de temps pour s'en remettre, c'est qu'elle tente, à deux reprises, des retours au jeu trop hâtifs. Chaque fois, elle aggrave sa blessure.

Par chance, elle peut une fois de plus compter sur l'appui de son grand frère. Employé de Hockey Canada, Pier-Alexandre emménage à Calgary au mois de novembre. Marie-Philip et ses coéquipières s'y trouvent déjà depuis quelques mois, comme c'est le cas à chaque année préolympique.

Le moral de la Québécoise ne vole pas haut.

— Ça va tellement mal que je ne serais pas surprise qu'on me retranche de l'équipe, lui confie-t-elle.

— Qu'est-ce qui te fait penser une chose pareille?

— Le jour des dernières coupures approche et je n'ai pratiquement pas joué. Chaque fois que j'essaie, je me blesse de nouveau.

La blessure de Marie-Philip n'est pas la seule tuile à tomber sur la tête de la formation canadienne. Une série d'événements vient entraver le parcours de l'équipe, désireuse de défendre, une fois de plus, son titre olympique.

Un conflit entre Hockey Canada et Dan Church, alors entraîneur-chef de l'équipe, mène à sa démission à la mi-décembre. Sentant qu'on manque de confiance à son égard, il préfère quitter le navire en plein camp d'entraînement, quelques jours seulement avant de confirmer la liste des joueuses qui défendront les couleurs du pays en Russie.

À la barre de l'équipe nationale depuis 2011, Church l'avait menée, en avril 2012, à un premier titre mondial depuis 2007. Une médaille d'or faisant de Marie-Philip la sixième joueuse dans l'histoire à remporter la triple couronne du hockey féminin (Jeux olympiques, Championnat du monde et coupe Clarkson).

La plus haute institution du hockey au Canada choisit de le remplacer par Kevin Dineen. Ancien joueur de la LNH ayant disputé plus de 1 000 matchs au sein de différentes équipes, Dineen vient d'être remercié de ses services par les Panthers de la Floride après seulement 16 matchs, en raison d'un début de saison atroce.

Fait étrange, Dineen s'amène à la barre de cette formation sans vraiment connaître ses joueuses ni ses rivales américaines. Les particularités du hockey féminin lui sont également peu familières.

D'ailleurs, sous les ordres de Dineen, les Canadiennes mettent du temps à former un tout et à prendre la direction souhaitée. À compter du départ de Church et jusqu'à l'ouverture des Jeux olympiques de Sotchi, Équipe Canada perd ses quatre confrontations face à la formation américaine.

Plus que jamais, on doute de ses capacités à ramener l'or olympique au Canada.

Même les parents de Marie-Philip émettent certaines réserves. À quelques occasions, pendant les 15 heures que durent les vols les menant de l'aéroport de Québec à celui de Sotchi, Robert et Danye se remémorent les émotions fortes qu'ils ont vécues quatre ans plus tôt.

— Jamais on ne va revivre ce qu'on a vécu à Vancouver, c'est impossible, dit Danye à son mari.

— C'était de l'émotion au max. Tu ne peux pas vivre ça deux fois dans ta vie, acquiesce-t-il.

À ce moment, ils sont loin de savoir qu'ils n'ont encore rien vu.

Lorsque la rondelle tombe une première fois à l'arène de glace Chaïba, le 8 février, la troupe de Dineen est prête.

Voulant rehausser la qualité du tournoi et éviter les matchs à sens unique comme lors des tournois olympiques précédents, les organisateurs des Jeux de Sotchi choisissent de regrouper, au sein de la même division, les quatre formations les mieux cotées dans le classement international. Dans le groupe A, le Canada retrouve ainsi la Finlande, la Suisse et, bien sûr, son éternelle rivale, l'équipe des États-Unis.

Le Canada remporte ses deux premiers matchs par blanchissage : des gains de 5 à 0 contre la Suisse et de 3 à 0 contre la Finlande.

Le dernier duel de la ronde préliminaire met aux prises le Canada et les États-Unis. En retard 1 à 0 après 40 minutes de jeu, les Canadiennes inscrivent trois buts consécutifs en troisième période, en route vers un triomphe de 3 à 2.

Ralentie par sa blessure, qui n'a jamais complètement guéri, Marie-Philip ne récolte que des mentions d'assistance lors de ces trois rencontres.

En raison de sa fiche parfaite, le Canada accède directement à la demi-finale. Malgré les cinq jours qui séparent la rencontre face aux États-Unis et cette demi-finale contre la Suisse, la Québécoise n'est pas suffisamment remise de sa blessure pour échapper à la couverture serrée dont elle est l'objet. Blanchie de la feuille de pointage, elle voit toutefois ses coéquipières prendre le relais pour assurer la place du Canada en finale en vertu d'une victoire de 3 à 1.

Encore une fois, le match ultime opposera les deux nations nord-américaines, les États-Unis ayant eu le meilleur sur la Suède par le pointage de 6 à 1.

# 13

# UNE INSPIRATION
# ET UN MESSAGE D'ESPOIR

La veille du match fatidique, une autre bataille serrée entre les États-Unis et le Canada se déroule à Sotchi. Dans les montagnes du Caucase, les bobeuses américaines Elana Meyers et Lauryn Williams détiennent une avance pratiquement insurmontable sur le duo canadien composé de Kaillie Humphries et de Heather Moyse. Avec un recul de 0,23 seconde, même deux descentes parfaites d'Humphries et de Moyse risquent d'être insuffisantes pour coiffer leurs rivales.

Bien que les chances de médaille d'or soient plus que minces pour leurs compatriotes, les hockeyeuses sont rassemblées au village olympique pour assister à l'événement.

Sa première descente est si parfaite que le duo canadien parvient à retrancher de moitié l'avance des Américaines. Au moment de s'élancer pour la descente ultime, Humphries qui, depuis des années, a pris l'habitude de ne jamais regarder le tableau d'affichage entre les descentes, se tourne vers sa coéquipière.

— Est-ce que c'est faisable? lui demande-t-elle en embarquant dans le bobsleigh.

— Oui, c'est possible, se contente de lui répondre Moyse, tout juste avant le coup de départ.

Motivée par cette affirmation, Humphries, la pilote du bolide, effectue un autre parcours sans faute. Le travail a beau être accompli, le Canada ne grimpera pas sur la plus haute marche du podium... à moins d'une erreur des Américaines.

Après un départ rapide réduisant considérablement les espoirs des Canadiennes, le duo américain effleure l'un des murets à la sortie d'un virage, perdant de précieuses fractions de seconde au passage.

À la ligne d'arrivée, le temps cumulatif des quatre courses de Meyers et de Williams indique 3 minutes 50 secondes et 71 centièmes de seconde. Seulement un dixième de seconde plus lent que Moyse et Humphries, qui deviennent du coup championnes olympiques pour une deuxième fois de suite.

Au village olympique, Marie-Philip et ses coéquipières ne tardent pas à voir dans cette victoire émotive une source de motivation : ne jamais abandonner, même si la partie semble perdue.

Le lendemain matin, les joueuses de l'équipe canadienne viennent tout juste de peaufiner les derniers détails de leur préparation lorsqu'elles se présentent devant les journalistes, dans la zone mixte, pour les entrevues d'avant-match.

— Je n'aurai pas besoin de faire de discours à mes coéquipières ce soir. Heather et Kaillie l'ont fait pour moi hier soir, explique la capitaine Caroline Ouellette au journaliste québécois Jean-François Poirier, de Radio-Canada, qui est affecté à la couverture des Jeux. Elles sont revenues de l'arrière pour l'emporter de brillante façon. En plus, elles ont battu des Américaines. Ce soir, nous approcherons le match comme Heather et Kaillie ont approché leurs deux dernières courses.

Plus tard, au cours de cette même journée, Jean-François Poirier croise Heather Moyse par un heureux hasard.

— Étais-tu au courant que les filles de l'équipe de hockey se servent de vous, Kaillie et toi, comme motivation pour leur match de ce soir?

— Non. Je n'ai rien entendu à propos de ça.

— Oui! Caroline Ouellette m'a dit qu'elle n'aurait pas à faire de discours ce soir, que vous l'aviez fait à sa place.

— Oh wow! Je connais bien Caroline. On se voit à l'occasion à Calgary. Je suis vraiment touchée.

— Aimerais-tu leur laisser un message? Je retourne à l'aréna tout à l'heure. Je pourrais essayer de leur remettre. C'est certain que tu pourrais le tweeter, mais il n'y a rien de mieux qu'un message écrit sur du papier.

— Bonne idée! Je vais attendre Kaillie. Je suis certaine qu'elle voudra le signer aussi.

— Parfait. Voici un papier et un crayon. Je dois partir pour faire une apparition aux nouvelles de 17 h. Mais je reviens aussitôt que j'ai terminé.

À son retour, les deux médaillées d'or ont disparu, non sans avoir laissé un message d'encouragement à l'attention du journaliste. Ne reste plus qu'à trouver une façon de le remettre aux joueuses de l'équipe canadienne.

Poirier s'empresse alors de se diriger vers la zone réservée aux entrevues, dans l'espoir d'y voir une joueuse de l'équipe canadienne. Par chance, Hayley Wickenheiser se trouve sur place. Elle s'apprête à se diriger vers les vestiaires lorsque Poirier l'interpelle.

— Hayley ! J'ai quelque chose pour toi !

— Les entrevues sont terminées, lui lance alors le responsable des communications se trouvant près de Wickenheiser.

— Ce n'est pas pour une entrevue ! Je dois lui remettre quelque chose d'important, insiste le journaliste.

En dépit des objections du relationniste, la joueuse s'approche du reporter.

— Vous avez regardé la compétition de bobsleigh, hier, n'est-ce pas ?

— Oui.

— J'ai parlé à Caroline aujourd'hui. Elle m'a raconté combien vous étiez inspirées par Heather et Kaillie.

— Oui. C'est vrai.

— Eh bien, j'ai un mot de leur part qu'elles aime-
raient bien remettre à l'équipe.

— Merci, lui dit-elle simplement, après avoir pris
connaissance du message, plié la feuille en deux
et poursuivi son chemin.

Poirier ignore si Wickenheiser a apprécié le message ni même ce qu'elle en fera, mais alors que
ses coéquipières et elle s'apprêtent à sauter
sur la patinoire pour la période d'échauffement,
Wickenheiser se lève.

— Les filles ! Un journaliste vient tout juste de me
remettre un mot d'encouragement de Heather et
de Kaillie. Elles ont été mises au courant qu'elles
nous servent d'inspiration. Voici ce qu'elles
écrivent :

Il y a des hauts et des bas dans chaque course/match, mais nous sommes la preuve que si vous continuez à croire aux chances, les résultats peuvent être dorés. Acceptez-le ! La glace est à vous ! Luttez jusqu'à la fin, même si elle ne semble pas être celle que vous souhaitez !

Sourires...

Heather et Kaillie

# 14

# ENCORE À LA BONNE PLACE
# AU BON MOMENT

— *Let's go,* les filles. On continue comme ça. C'est à nous, ce match-là. On n'a pas fait tout ce travail pour rien.

Les cris d'encouragement de Caroline Ouellette, sa capitaine, sort Marie-Philip de ses pensées. La sirène annonçant le début de la période de prolongation a retenti. Il est temps de retourner à la patinoire.

À plusieurs milliers de kilomètres de Sotchi, tout comme en 2010, plusieurs citoyens de Beauceville se sont réunis pour assister à ce match final. Cette fois, c'est à la polyvalente Saint-François que quelques centaines de personnes se sont donné rendez-vous.

Alors que dans le vestiaire canadien, Marie-Philip visualise les beaux moments de sa jeunesse, sa grand-mère paternelle, bien installée dans sa maison avec plusieurs amis de la famille, fait l'observation suivante :

— Elle a du chien, Marie-Philip! Quand elle dit qu'elle veut quelque chose, elle le fait. Elle peut traverser des murs pour accomplir ce qu'elle désire.

Malheureusement pour les Canadiennes et leurs partisans, ce sont les Américaines qui prennent les commandes de cette prolongation. À peine y a-t-il une minute d'écoulée que déjà, elles ont mis Shannon Szabados à rude épreuve à trois reprises. La gardienne canadienne frustre ses rivales à chaque occasion. Parfois d'un geste vif de la mitaine, d'autres fois en étirant une jambière.

Dans les gradins, ils sont quelques-uns à avoir reconnu les parents de Marie-Philip. Celle qui était une parfaite inconnue quatre ans plus tôt représente maintenant pour eux le plus bel espoir de la nation.

— On va gagner 3 à 2 et c'est ta fille qui va compter, lance un partisan en interpellant Robert.

— Woh! Woh! Calmez-vous! commande le père de Marie-Philip, cachant mal son trouble face aux attentes des plus grands amateurs de hockey au monde.

Stimulées par les prouesses de la Saskatchewanaise, Marie-Philip et ses coéquipières retrouvent, lentement mais sûrement, leurs repères. Les deux formations évoluent à cours d'une joueuse lorsque Hayley Wickenheiser parvient à s'échapper. Elle est toutefois rejointe par Hillary Knight. Les patins des joueuses entrent en contact, ce qui fait perdre pied à l'attaquante canadienne.

Sur le banc, Kevin Dineen gesticule. Il n'exige rien de moins qu'un lancer de punition. L'arbitre de la rencontre choisit plutôt de chasser Knight pour deux minutes. Bien qu'insatisfait des explications qu'il reçoit, l'entraîneur canadien garde son sang-froid. Après tout, son équipe aura une joueuse de plus sur la patinoire.

Quatre joueuses contre trois. Il y aura beaucoup d'espace sur la surface de jeu. En plus de Wickenheiser, il désigne Rebecca Johnston, Laura Fortino et Marie-Philip. Avant que cette dernière saute sur la glace, Dineen lui lance une consigne très claire.

— Peu importe ce qui se passe, reste dans l'enclave. Ne va dans les coins sous aucun prétexte. Reste devant le filet. La rondelle viendra assurément à toi.

— D'accord, acquiesce Marie-Philip avant d'aller prendre place à la mise au jeu.

C'est exactement l'endroit où elle se trouve lorsque, après un échange de passes avec Johnston, Fortino lui offre un relais transversal parfait.

En face de Marie-Philip se trouve un filet ouvert. En raison d'une feinte de lancer de Fortino, la gardienne américaine met du temps à réagir. Du banc, les coéquipières de Marie-Philip s'époumonent à crier :

— Tire ! Tire ! Tire au but !

La scène semble se dérouler au ralenti devant les yeux de Marie-Philip, qui sait que la gardienne finira par compléter son déplacement latéral. Replaçant d'abord la rondelle sur son côté fort, Marie-Philip s'empresse de décocher un tir des poignets. Le disque traverse la ligne rouge.

Pendant une fraction de seconde, le temps s'arrête...

Puis, c'est l'explosion de joie ! Comme Kaillie Humphries et Heather Moyse, la veille, Équipe Canada a comblé un déficit que tout le monde croyait insurmontable.

Quant à Marie-Philip, elle peine à croire ce qui lui arrive. Elle a beau sourire à pleines dents, c'est les bras le long du corps qu'elle accueille ses coéquipières venues lui sauter au cou.

Comme à Vancouver, elle a inscrit deux buts, dont celui de la victoire lors de la finale des Jeux olympiques. Elle ne peut croire que le destin l'a choisie une fois de plus.

« Pourquoi, encore une fois, est-ce que c'est moi qui me trouvais à la bonne place ? » se demande-t-elle.

Dans les bureaux de Hockey Canada, c'est également la fête. Pier-Alexandre est porté en triomphe par ses collègues de travail, qui multiplient les accolades et les poignées de main.

Il venait tout juste de rejoindre ses dizaines de collègues dans la salle commune, après avoir regardé le match dans une autre pièce, lorsque le vent s'est mis à tourner. Dire qu'il se préparait à consoler sa sœur, à trouver les bons mots pour lui dire à quel point il était tout de même fier d'elle et de sa médaille d'argent, lorsqu'elle a inscrit le but égalisateur. Voilà qu'elle jouait une fois de plus les héroïnes.

# ÉPILOGUE

Après une dernière saison avec les Terriers de l'Université de Boston, à son retour des Jeux olympiques, Marie-Philip a joint les rangs des Canadiennes de Montréal de la Ligue canadienne de hockey féminin. Cette formation portait auparavant le nom de Stars de Montréal.

Marie-Philip a célébré son retour dans ce circuit en raflant plusieurs honneurs. Elle a remporté la coupe Angela-James, remise à la meilleure pointeuse du circuit, et reçu le titre de joueuse la plus utile, et ce, à chacune de ses deux premières saisons. Elle s'est également vu décerner la mention de meilleure attaquante lors de la campagne 2015-2016.

Par contre, à sa première saison, le trophée qui lui tenait le plus à cœur, la coupe Clarkson, lui a échappé. Les Canadiennes se sont inclinées 8 à 3 face à l'Inferno de Calgary.

Les Montréalaises sont parvenues à prendre leur revanche en 2016-2017. Elles ont soulevé le précieux trophée grâce à un gain de 3 à 1 sur l'Inferno. Et devinez quoi? Marie-Philip, devenue la capitaine de l'équipe, a marqué deux buts, dont celui de la victoire.

La renommée de Marie-Philip lui permet désormais d'être l'une des rares joueuses de la Ligue canadienne de hockey féminin à pouvoir gagner sa vie exclusivement à titre de joueuse de hockey et à pouvoir s'entraîner sans avoir à concilier travail ou études.

Il reste encore plusieurs bonnes années de hockey à la Québécoise, mais ce qu'elle a accompli pour l'avancement du hockey féminin est déjà grandiose. De plus en plus de jeunes filles portent le chandail de Marie-Philip lorsqu'elles assistent à un match de hockey féminin.

D'ailleurs, elle a déjà commencé à préparer son après-carrière. Celle qui souhaite, un jour, devenir entraîneuse occupe le poste d'entraîneuse du

développement des Martlets de McGill, de la Ligue universitaire canadienne, et des Blues de Dawson, du circuit collégial féminin.

D'ailleurs, lorsqu'on lui demande comment elle veut qu'on se souvienne d'elle une fois sa carrière terminée, elle répond : « J'espère que les gens se souviendront de moi pour mon travail acharné, mon dévouement et ma volonté de toujours rendre les gens autour de moi meilleurs. Je veux également qu'ils se souviennent de tout le plaisir que j'ai eu à jouer au hockey. »

Cependant, elle risque d'être avant tout reconnue comme celle qui marque les buts importants, celle que les anglophones appellent *The Golden Girl* (la fille en or).

# CHRONOLOGIE

**1990**    Du 19 au 25 mars, Ottawa accueille le tout premier Championnat mondial de hockey féminin. Le Canada, vêtu de rose et de blanc, remporte la médaille d'or. Pour la seule fois de l'histoire, les mises en échec sont permises lors d'une compétition internationale.

**1991**    *Le 28 mars, Marie-Philip Nadeau-Poulin voit le jour à Québec.*

**1992**    En juillet, le Comité international olympique approuve l'ajout d'un tournoi de hockey féminin à ses Jeux. Il stipule que cette discipline fera son entrée aux Jeux olympiques de Nagano en 1998.

**1992**    Le 23 septembre, Manon Rhéaume devient la première femme à disputer un match préparatoire de la LNH. Face aux Blues de St. Louis, elle accorde deux buts sur neuf lancers.

**1995**    Le 30 avril, la LNH conclut son calendrier. Pour la première fois en 23 ans, le Canadien ne participe pas aux séries éliminatoires.

**1995**    Le 24 mai, Marcel Aubut annonce la vente des Nordiques de Québec à un groupe d'hommes d'affaires de Denver. Les Nordiques deviennent l'Avalanche du Colorado.

**1995**    *À l'automne, après une seule saison de patinage artistique, Marie-Philip amorce sa carrière de hockeyeuse.*

**1998**    Le 17 février, les États-Unis remportent le premier tournoi olympique féminin en défaisant le Canada au compte de 3 à 1.

**2002**

Le 21 février, le Canada monte sur la plus haute marche du podium olympique pour la première fois de son histoire en hockey féminin. À Beauceville, devant son téléviseur, Marie-Philip Poulin voit naître en elle le rêve de participer aux Jeux olympiques.

**2010**

Le 25 février, Marie-Philip Poulin marque les deux seuls buts de la finale. Grâce à ce doublé, le Canada défait les États-Unis 2 à 0 et célèbre une troisième médaille d'or olympique.

**2010**

Le 2 octobre, Marie-Philip Poulin dispute son premier match dans l'uniforme des Terriers de l'Université de Boston. Elle en profite pour inscrire le premier des 81 buts de sa carrière universitaire.

Pendant ce temps, à Québec, des dizaines de milliers de personnes participent à la marche bleue sur les plaines d'Abraham. Ceux-ci manifestent en faveur de la construction d'un nouvel amphithéâtre et pour le retour des Nordiques.

2012

Le 4 septembre, Pauline Marois devient la première femme élue au poste de premier ministre du Québec.

**2014**

Le 20 février, Marie-Philip Poulin nivelle la marque avec 55 secondes à faire en troisième période. Elle donne la victoire au Canada en faisant de nouveau bouger les cordages en prolongation. Un gain de 3 à 2 sur les États-Unis qui procure une autre médaille d'or olympique au Canada.

| 2014 | Le 5 juillet, Eugénie Bouchard accède à la finale du tournoi de Wimbledon. Elle devient la première Canadienne à réaliser ce fait d'armes. Toutefois, elle doit s'avouer vaincue devant la Tchèque Petra Kvitova. |
|------|------|
| 2014 | Le 2 décembre, le légendaire Jean Béliveau s'éteint. L'ancien capitaine du Canadien aura droit, quelques jours plus tard, à des funérailles nationales. Des milliers de partisans viennent lui rendre hommage, alors que M. Béliveau est exposé en chapelle ardente au Centre Bell. |
| 2016 | Le 2 novembre, les Cubs de Chicago remportent les Séries mondiales de baseball en défaisant les Indians de Cleveland en sept rencontres. Ils remportent ce titre pour la première fois en 108 ans. |
| **2017** | *Le 5 mars, Marie-Philip aide les Canadiennes de Montréal à soulever la quatrième coupe Clarkson de son histoire grâce à deux buts. Les Canadiennes l'emportent 3 à 1 contre l'Inferno de Calgary.* |

# STATISTIQUES DE MARIE-PHILIP

## Saison régulière

| Saison | Équipe | Matchs | Buts | Passes | Pts |
|---|---|---|---|---|---|
| 2007-2008 | Montréal (LCHF) | 16 | 22 | 21 | 43 |
| 2008-2009 | Dawson (LHCQ) | 19 | 38 | 34 | 72 |
| 2008-2009 | Montréal (LCHF) | 6 | 4 | 4 | 8 |
| 2010-2011 | Université de Boston (NCAA) | 28 | 24 | 23 | 47 |
| 2011-2012 | Université de Boston (NCAA) | 16 | 11 | 14 | 25 |
| 2012-2013 | Université de Boston (NCAA) | 35 | 19 | 36 | 55 |
| 2014-2015 | Université de Boston (NCAA) | 32 | 27 | 27 | 54 |
| 2015-2016 | Montréal (LCHF) | 22 | 23 | 23 | 46 |
| 2016-2017 | Montréal (LCHF) | 23 | 15 | 22 | 37 |

## Tournois internationaux

| Saison | Équipe | Matchs | Buts | Passes | Pts |
|---|---|---|---|---|---|
| 2007-2008 | Canada (M18) | 5 | 8 | 6 | 14 |
| 2008-2009 | Canada (M18) | 5 | 5 | 7 | 12 |
| 2008-2009 | Canada (ChM) | 5 | 2 | 3 | 5 |
| 2009-2010 | Canada (JO) | 5 | 5 | 2 | 7 |
| 2010-2011 | Canada (ChM) | 5 | 3 | 1 | 4 |
| 2011-2012 | Canada (ChM) | 5 | 3 | 4 | 7 |
| 2012-2013 | Canada (ChM) | 5 | 6 | 6 | 12 |
| 2013-2014 | Canada (JO) | 5 | 3 | 2 | 5 |
| 2014-2015 | Canada (ChM) | 5 | 3 | 3 | 6 |
| 2015-2016 | Canada (ChM) | 5 | 2 | 4 | 6 |
| 2016-2017 | Canada (ChM) | 5 | 2 | 4 | 6 |

ChM : Championnat du monde de hockey féminin

JO : Jeux olympiques

LCHF : Ligue canadienne de hockey féminin

LHCQ : Ligue de hockey collégiale du Québec

M18 : Championnat mondial de hockey féminin des moins de 18 ans

NCAA : National Collegiate Athletic Association

# MÉDIAGRAPHIE

## Articles consultés

Anonyme. « Olympic hero Marie-Philip Poulin eyes more gold in next chapter with Canadian women's hockey team », http://news.nationalpost.com/sports/olympics/olympic-hero-marie-philip-poulin-eyes-more-gold-in-next-chapter-with-canadian-womens-hockey-team.

BERNIER, Jonathan. « Magique et inoubliable - Marie-Philip Poulin », http://www.journaldemontreal.com/2014/02/20/magique-et-inoubliable--marie-philip-poulin.

BOULAY, Mathieu. « Marie-Philip mérite d'être au Temple de la renommée », http://www.journaldemontreal.com/2016/11/15/marie-philip-poulin-merite-detre-au-temple-de-la-renommee.

DAILY Free Press Admin. « Poulin looks for healthy season as co-captain of women's hockey », http://dailyfreepress.com/2012/10/11/poulin-looks-for-healthy-season-as-co-captain-of-womens-hockey/.

KHATCHATURIAN, Andre. « Women's Ice Hockey Team's Unstoppable Marie-Philip Poulin », https://www.bu.edu/today/2015/womens-ice-hockey-teams-unstoppable-marie-philip-poulin/.

MacKINNON, Mark. « Canada's Humphries and Moyse slide to gold in women's bobsleigh », https://www.theglobeandmail.com/sports/olympics/womens-bobsled/article16969691/.

SHANKS, Pierre. « The Story Behind Canada's Golden Goal in Sochi », https://skiplus.ca/ 2014/03/02/the-story-behind-canadas-golden- goal-in-sochi/.

STONE, Avery. « The greatest women's hockey player in the world needs to find a job », http://ftw.usatoday.com/2015/03/marie-philip-poulin-canada-womens-ice-hockey-boston-university.

## LES COLLABORATEURS

La vie de **Jonathan Bernier** a toujours tourné autour du hockey. À l'école primaire et secondaire, tous ses travaux scolaires portaient sur ce seul et unique sujet. Après un parcours l'ayant mené jusqu'aux portes de la Ligue de hockey junior majeur du Québec, il a choisi de sauter la clôture et de passer du côté des « méchants » journalistes. Avec l'objectif de couvrir un jour les activités du Canadien de Montréal, il s'inscrit en Art et technologie des médias au cégep de Jonquière. Au printemps 2010, une décennie après la fin de ses études, il réalise son rêve, d'abord pour le compte de RueFrontenac.com, puis pour celui du *Journal de Montréal*. En plus des activités du Canadien, il a couvert les Jeux olympiques de Sotchi et la Coupe du monde de hockey de 2016.

**Josée Tellier** a toujours été passionnée par l'illustration, depuis la maternelle ! Très tôt, elle savait qu'elle gagnerait sa vie dans ce domaine. Avec son rêve en tête, elle s'exerçait tous les jours à dessiner, ce qui lui vaudra plusieurs prix dans divers concours régionaux. Cet intérêt prononcé pour les arts l'amènera à poursuivre ses études en graphisme. Des projets variés s'ajouteront à son portfolio au fil des années, dont des collections de mode pour les jeunes, des expositions et plusieurs couvertures de romans jeunesse, dont celles de la populaire série *Le journal d'Aurélie Laflamme* d'India Desjardins.

# TABLE DES MATIÈRES

# DANS LA MÊME COLLECTION

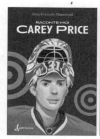
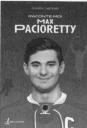

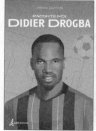

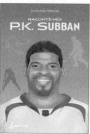

## Suivez-nous sur le Web

Consultez nos sites Internet et inscrivez-vous à l'infolettre
pour rester informé en tout temps de nos publications et
de nos concours en ligne. Et croisez aussi vos auteurs
préférés et notre équipe sur nos blogues !
EDITIONS-PETITHOMME.COM
EDITIONS-HOMME.COM
EDITIONS-JOUR.COM
EDITIONS-LAGRIFFE.COM
RECTOVERSO-EDITEUR.COM
QUEBEC-LIVRES.COM
EDITIONS-LASEMAINE.COM

RECYCLÉ
Papier fait à partir
de matériaux recyclés
FSC® C103567

Imprimé chez Marquis Imprimeur inc.
sur du Rolland Enviro, contenant 100%
de fibres postconsommation, fabriqué à partir d'énergie biogaz
et certifié FSC®, ÉCOLOGO, Procédé sans chlore et
Garant des forêts intactes.

PERMANENT

100%

Garant
des forêts
intactes^MC